NÃO SE ESCOLHE
QUEM SE AMA

JOANA MIRANDA

NÃO SE ESCOLHE
QUEM SE AMA

EDITORIAL ᴘ PRESENÇA

Email da autora: miranda15@sapo.pt

FICHA TÉCNICA

Título: *Não Se Escolhe Quem Se Ama*
Autora: *Joana Miranda*
Copyright © by Joana Miranda e Editorial Presença, Lisboa, 2004
Capa: *Vera Espinha*
Fotocomposição, impressão e acabamento: *Multitipo — Artes Gráficas, Lda.*
1.ª edição, Lisboa, Janeiro, 2004
2.ª edição, Lisboa, Fevereiro, 2004
3.ª edição, Lisboa, Maio, 2004
4.ª edição, Lisboa, Outubro, 2004
5.ª edição, Lisboa, Fevereiro, 2005
Depósito legal n.º 222 455/05

Este livro é dedicado à minha tia Maria Fernanda, a mais forte de todas as mulheres sobreviventes. Sem o seu exemplo de tenacidade, dedicação a ideais e/ou pessoas e capacidade de abnegação, eu seria, decerto, uma outra pessoa e este livro seria também, necessariamente, um outro livro.

«Le monde de l'homme heureux est un au-
tre monde que celui de l'homme malhereux.»
Tractatus, Wittgenstein

«Ama-la mais?
Não! Amo-a há mais tempo.»

do filme *O Príncipe das Marés*

I

À sua frente um espelho. O seu rosto nesse espelho. Reflectido. A mulher que contempla será ela mesma. Porém, parece-lhe uma estranha. Por vezes, invade-a a sensação bizarra de não saber quem é. Será que é mesmo assim? Será assim que os outros a vêem? A mão que desliza pelo rosto para se certificar do que os olhos lhe dizem. Pensa que, se não existissem espelhos, fotografias, máquinas de filmar e outros artefactos da técnica, não saberíamos como somos, como nos vêem os outros. No espelho, reflectido, o rosto de uma mulher que, com o tempo, aprendeu ser ela. A imagem que foi mudando ao longo dos anos, mas que continuou sempre a ser a sua. A de uma mulher de quarenta anos. De meia-idade. O que quererá dizer «meia-idade»? Meia vida? Significará que já viveu meia vida? Que terá mais quarenta anos à sua frente? Se assim for, como serão esses quarenta anos que faltam? Agora, que tudo o que se espera que aconteça na vida parece já ter acontecido. O que ficou por acontecer na sua história? Na história da mulher de quarenta anos, cuja imagem o espelho teima em devolver-lhe? Nasceu, cresceu, escolheu uma profissão (ou houve uma profissão que a terá escolhido), apaixonou-se, casou, teve um filho, desapaixonou-se, plantou uma árvore (mais do que uma), apaixonou-se de novo, sofreu, chorou, morreu ainda viva, sobreviveu, continua a sobreviver. Nunca escreveu um livro, mas terá feito outras coisas bem mais fundamentais. Quais? Bem, salvou vidas, muitas vidas. Vidas de pessoas grandes e também vidas de crianças. De muitas crianças. Talvez tenha valido a pena. Só por isso terá valido a pena. O rosto no espelho a sorrir-lhe, subitamente confiante. A mulher de quarenta anos que a observa. Cabelo castanho-escuro. Curto. Tão curto como o de um rapaz. Olhos igualmente escuros, amendoados. Traços de criança, foram as palavras que sempre escutou a respeito da sua aparência. Uma criança real, pensa para com os seus botões. Uma túnica branca de algodão egípcio cobre-lhe o corpo, de formas arredondadas. «Gorducha!» Os ecos das vozes dos colegas da primária chegam até ela. Será gorducha, ou apenas não tão anoréctica como está na moda? Um colar de búzios ao pescoço, sandálias de pano. Como foi que o tempo passou? Não se recorda de nada com nitidez. Quarenta anos será muito tempo? O que fez nestes quarenta anos? Quem amou? E por que é que todos os anos, nesse mesmo dia, 24 de Outubro, se coloca questões para as quais não encontra respostas? Há quem deixe as reflexões para o último dia de cada ano. Matilde concentra-as nesse dia. Nesse dia em que envelhece mais do que em qualquer outro dia do ano. Nesse dia em que uma nostalgia morna a invade e em que se procura, sozinha, longe do olhar dos outros. O rosto da mulher no espelho. O espelho da casa de Tróia. Mais concretamente, entre Tróia e a Comporta. A casa nova. Na realidade, a casa velha. Minuciosamente recuperada. Segunda habitação. Um verdadeiro luxo! Pelo isolamento, pela tranquilidade e pela proximidade do mar. Refúgio de fins-de-semana solitários. Refúgio, pois, de todos os fins-de-semana. Recortada sobre as dunas, polvilhadas de giestas. Revestida de traves de madeira branca. Do terraço, que se abre sobre o areal, o mar azul. Crispado, nesta altura do ano. O mar azul. Sem convicção abandona a mulher do espelho e desliza até ao terraço. Qual cisne branco. O seu refúgio branco sobre as dunas. O seu luxo! Ela que viveu numa África distante, no seio da miséria mais profunda, dona e senhora de uma casa de madeira branca com um terraço de onde se avista o mar! Um terraço só para ela. Para seu bel-prazer. No terraço, estende-se na cadeira de baloiço de verga. Abre *Amor em Tempos de Cólera*. Uma terceira leitura, mais vagarosa e atenta do que as duas anteriores. Sem sinais de tédio ou cansaço. Cada nova leitura de Gabriel García Márquez revela outras realidades, para além das vislumbradas nas anteriores. Jogos de sombras e luzes que se revelam diferentes em cada novo olhar sobre o texto. García Márquez é o seu ídolo, numa existência despovoada de ídolos. A sua galeria de heróis, desde sempre vazia, contém-no a ele. Ao seu Escritor. A galeria inclui, ainda, dois realizadores: Woody Allen e Pedro Almodóvar. Nenhum cantor. E depois, no lugar mais central e nobre da galeria, concentram-se Gandhi, Mandela e Madre Teresa de Calcutá. Ainda lhe é possível, aos quarenta anos, idolatrar alguém. É-lhe penoso pensar que um dia García Márquez morrerá sem ter tido oportunidade de lhe dizer: «Ouça lá, como é possível escrever assim?» Trocar com ele um abraço apertado. Agradecer-lhe as viagens aos mundos de fantasia que lhe proporcionou desde que o descobriu, nos escaparates da Bertrand da Rua Garrett. Dez anos atrás. Demasiado tarde, pensa por vezes. Quem sabe, se não na altura certa. Mais cedo, poderia não o ter sabido ler da mesma forma. Antes dos trinta anos a vida é estranha. Dá-se pouco valor ao que realmente interessa. Perde--se tempo de mais com frivolidades.

As ondas fustigam, violentas, o areal. O tilintar dos espanta--espíritos sob a brisa da tarde, o aroma das urzes da Provença plantadas em potes de barro de mil formas e tonalidades. O seu corpo mole, a languidez dos gestos, a alma consciente do luxo que são a solidão e o silêncio. Quando a solidão deriva de uma escolha. Só assim. Sem ter de escutar o barulho dos outros, o eco das suas vozes, o roçar dos pés, sem ter de falar ou ouvir, sem ter o trabalho de aturar ninguém, de dar explicações, de contar histórias, de inventar desculpas.

Tarde de neblina. Casais de idade passeiam pelo areal. Mãos dadas. Um silêncio partilhado e pleno de significados, de sentidos, de segredos de vidas. As suas companhias, mais do que as pessoas, são os livros. Os livros, eterna companhia. As palavras escritas sabem ser aconchegantes para uma alma deserta e solitária. Com o rodar dos anos, para se proteger da solidão, foi acumulando objectos. As obras de arte, os *kilims* de tons vivos, as esculturas de Cutileiro, os CDs, os DVDs. É uma estratégia consensual nos dias que correm no país que é o nosso. Compra-se por comprar. Objectos, objectos e mais objectos. Na esperança vã de que adornem os nossos espaços solitários. Para se ser mais feliz. Para nos sentirmos mais ricos, mais plenos e mais acompanhados.

Um vazio no estômago retira-a do torpor. Fecha o livro, não sem antes assinalar a página com um precioso marcador. Pintado a aguarelas pelo Martim, quando tinha cinco anos de idade. Presente de um Dia da Mãe longínquo. Sacode a manta axadrezada, que lhe cobre os joelhos e ergue-se. A cadeira de baloiço range, impertinente, desperta pelo movimento brusco do seu corpo. Os sons a que se habituou. Os seus sons. Os sons que fez seus. Abre a porta envidraçada. Um chiar enferrujado. Rumo à cozinha em busca de alimento. Quando se está sozinho, perde-se a noção das horas e o hábito dos rituais. Nem sempre se encontra alento para confeccionar uma refeição só para si. Qualquer coisa serve, apenas para preencher o vazio do estômago. No interior do frigorífico, jaz um vestígio de tarte de frango do almoço. Aquece-a no micro-ondas. A salada está cuidadosamente preparada num *tupperware*. Basta temperá-la. Azeite, limão e sal. Um copo de vinho tinto vinha a calhar. No fundo da despensa, a pequena garrafeira denota o seu parco conhecimento sobre a matéria. Agarra uma garrafa ao acaso. Retira a rolha. Uma mulher sozinha aprende a abrir garrafas de vinho. Trata-se de uma questão de sobrevivência. As outras mulheres, casadas ou juntas, não necessitam de aprender a usar objectos soturnos como saca-rolhas, abre-latas, martelos ou *Black' & Decker's*. Nesse ponto concreto, encontra-se em nítida desvantagem em relação a outras mulheres. De regresso, ao conforto da cadeira de baloiço. Um tabuleiro sobre os joelhos. O copo de vinho sobre a mesinha de apoio, não vá o balanço tombá-lo. A comida não lhe sabe a nada. É natural! Ultimamente, perdeu apetite. Progressivamente. Apetite só para bolos. Para compensar carências afectivas profundas. Chocolates, nem falar... É dependente deles. Irremediavelmente dependente. Capaz de devorar caixas inteiras num abrir e fechar de olhos. Apetecia-lhe uma tarte de amêndoa... De quando em quando, invadem-na desejos incontidos que consta serem comuns entre as grávidas. Nunca os experimentou. Apesar de ter um filho. Não se recorda de, quando estava grávida, ter sido invadida por desejos estranhos. Não se lembra, sequer, de algum dia ter estado grávida ou de ter amamentado o seu filho. Recorda-se, vagamente de, numa época demasiado distante, ter sido casada com o pai do seu filho. Parece-lhe ter sido há tanto tempo, que nem mesmo compreende o porquê dessa relação. Invade-a a sensação indefinida de um dia ter estado apaixonada por um homem. Um homem bom e educado. De mãos quentes e olhos densos como o nevoeiro das madrugadas na praia. Esta história, que recorda vagamente, é sentida como vivida por alguém, que não ela, como se tudo apenas lhe tivesse sido narrado em traços gerais por uma outra pessoa. O pai de Martim... um dia tê-lo-á amado. E num outro dia terá, simplesmente, deixado de o amar. Sem razões aparentes. Os sentimentos, as emoções, as sensações são partes de nós que, em conjunto, integram universos estranhos, que nos poderão ser desconhecidos. Quando vê cortejos de carros assinalando um casamento, é-lhe impossível não pensar que, o final da relação que nesse dia se consagra, está marcado, iminente, assinalado no destino, que tudo se resume a uma questão de tempo. O amor é uma utopia, a maior de todas as utopias! Sozinhos, podemos ser completos. É essa a conclusão a que chegou aos quarenta anos. Não sabe ainda que outras conclusões o tempo lhe trará.

O Sol mergulhou no azul do mar, deixando no céu um rasto de pinceladas de laranja e violeta. A brisa morna acaricia-lhe as faces tingidas pelo vinho, o vinho perfumado que lhe inebria os sentidos. As pálpebras que se cerram devagar, por nada haver a dizer, a ouvir ou a partilhar.

II

Outubro de 2002

Para não variar, Vasco acorda mal-humorado. Tropeça nos chinelos e pisa *Rafael*, o *cocker spaniel* tom de mel, que o segue religiosamente, sem manter mais de dez centímetros de distância dos seus pés.
Rafael solta um ganido magoado e fita-o de lado, desconfiado. «Oh
pá, desculpa! Sabia lá que estavas aí!» Na casa de banho, o ritual do
duche, o fazer da barba impertinente. *Jeans* e pólo às riscas. De marca,
como manda a lei. A lei das aparências. Na cozinha, um pequeno-
-almoço apressado, torradas queimadas e café da véspera. Da ampla
janela envidraçada do vigésimo quinto andar, avista-se o Tejo, em
visão panorâmica, visão que lhe custou uma fortuna. O apartamento,
que mais parece uma *penthouse* de um filme erótico, tem seis meses de
vida, mas Vasco ainda não aprendeu os sítios das coisas. As suas
namoradas teimam em dedicar-se às arrumações, numa tentativa ma-
ternal de sedução. Dado que chegam e partem a um ritmo acelerado,
assim os sítios das coisas vão mudando.
Agarra a mochila *Camel Trophy* tom de mel, enverga o blusão de
cabedal, entra na garagem e coloca a chave na ignição da *Honda
VTR 1000*, que representa parte substancial da sua identidade.
É *motard* desde sempre. Desde que se lembra de si. Do Parque das
Nações à empresa nas Avenidas Novas são vinte minutos mal contados. Estaciona a mota no parque privativo da empresa. Enquanto
sobe no elevador, pensa que tem cinco reuniões agendadas para
essa manhã. Que antes da primeira, ainda terá de engolir uma bica
que o faça manter-se acordado. Deitou-se tarde na noite anterior.
A ver um filme para adultos. Na noite de 24 de Outubro. Dia de

16

anos de Matilde. Da sua ex-mais-que-tudo. Como terá Matilde celebrado a noite do seu aniversário? Sozinha ou acompanhada? A secretária metalizada, de nome Sandra, cumprimenta-o com um sorriso *Pepsodent*. Em passo coquete traz-lhe a bica. Artisticamente equilibrada em cima de umas andas de vinte centímetros de altura, cor vermelha, biqueira de agulha. Decerto *Pablo Fuster*. Observa-a pelo canto do olho, enquanto folheia a papelada. Nunca conseguiu perceber como é que as mulheres conseguem equilibrar-se em cima de certos saltos, mas gosta de as apreciar nas suas habilidades circenses. Atira a mochila para cima do sofá da sua luxuosa sala de executivo. Sandra persegue-lhe os passos. Vasco pensa em como ela se assemelha a *Rafael*, na sua inglória tarefa de sombra. Ela lê-lhe, com voz de locutora treinada, algumas notas, em jeito de *memo*. Enquanto engole o café e duas barras de *Mars*, que descobriu na mochila, Sandra abre o roupeiro e escolhe um casaco e uma gravata condicentes com as calças azul-pardo, tarefa em que encontra a dificuldade de sempre. Vasco observa-a, exasperado. O *Rolex* tamanho XL indica-lhe que faltam cinco minutos para a reunião das nove horas com o *Big Boss*. A supereficiente loura não se apressa na escolha.

— Ó Sandra, por favor! Veja lá se se decide...

— Ó Doutor Vasco, que posso eu fazer? Essas calças que traz hoje não condizem com nada!... — observa a loura, desesperada.

— Ora valha-me Deus, mulher... — Pega num casaco ao acaso e numa gravata às riscas amarelas e vermelhas e veste-os com brusquidão. Que seca! As anedotas sobre as louras terão um fundo de verdade?! Entra na sala de reuniões com uma respiração ofegante e um ar desgraçado.

— *Just in time*, Vasco! — grita o *Big Boss*, com o vozeirão possante de macho dominador.

Vasco esboça um sorriso amarelo e afunda-se no cadeirão de couro, ao lado dos restantes directores da Fabien, uma das maiores empresas alemãs, de produtos farmacêuticos, instaladas em Portugal. Prepara-se mentalmente para mais um dia repleto de adrenalina. Na meia hora de almoço, passada dentro do gabinete, entre uma *Cola-light* e uma sanduíche de presunto e alface, o *Erikson* solta o habitual som bizarro e agudo de fantasma inquieto. No ecrã do *Erikson* a palavra «Carlota» cintila, ofuscante.

— Bolas, pá! — atende, contrariado, mas consciente de que a Carlota é demasiado parecida com a Marisa Cruz para a deixar em compasso de espera.

— Carlota, meu amor! — Pensa de si para si por que chamará «amor» às suas namoradas de validade nunca superior a um mês, dois, na melhor das hipóteses.

— Claro, Carlota! Oh, Carlota! Pois é claro que sim! Pois é claro que tenho saudades suas! Hoje à noite? Mas estou inundado de trabalho...

Do outro lado da linha, a loiríssima Carlota solta um grito histérico. Vasco esperneia na cadeira.

— Pronto, está bem! Então passe lá por casa hoje... Sim! Olhe, mas não me peça que vá jantar fora. Ando arrasado!

Do outro lado da linha, Carlota desliga, finalmente satisfeita. Vasco pensa que àquela hora do dia estará no ginásio a trabalhar aquele corpo alucinante, e que, a seguir, terá hora marcada num qualquer cabeleireiro do *jet-set*. Engole o último pedaço da sanduíche e o último golo da *Cola-light*. Solta um suspiro profundo. As mulheres dão-lhe imenso trabalho. Cinco minutos para a próxima reunião, assinala o *Rolex*, num silvo cristalino. Intransigente.

Às vinte horas em ponto, toca a campainha do vigésimo quinto andar, com vista sobre o rio. Um silvo cristalino. Vasco acabou de emergir de um banho quente de espuma e envolve-se num robe de cetim comprado na sua distante lua-de-mel na Tailândia, por uma verdadeira pechincha, e que todas as namoradas, sem excepção, apelidam de *sexy*. Pelo visor, vislumbra a cabeleira platinada da bela Carlota. Abre a porta com um sorriso inscrito nos lábios. Ela agarra-o de rompante e envolve-o num beijo sôfrego e quente. Um halo de perfume de mais de cento e cinquenta euros. Depois uma trégua breve, em que Carlota despe o casaco com volúpia e o atira para cima de um sofá. Ataca de novo. Enlaça-o num abraço apertado, em que lhe pressente o corpo todo. «As mulheres são um inferno!», queixa-se de si para si. Se não fosse o rapaz da *Pizza* Hut chegar com uma prontidão invulgar, Carlota decerto o teria transportado para a cama em menos de cinco minutos, apesar dos protestos habituais. Vasco gosta de se fazer difícil, de se queixar de já não ter idade para brincadeiras, de aludir, queixoso, a uma pontada de reumático, a um início de artrite e a sintomas congéneres. Está convicto de que algumas mulheres adoram esse tipo de comportamento e se deleitam em assumir, ainda que por pouco tempo, o papel de mãezinhas de homens algo debilitados.

A *pizza*, devorada em três tempos, acompanhada por um tinto da sua reserva especial. Entre outras coisas, Vasco é perito em vinhos.

Depois dos cafés, Carlota começa a manifestar graves sinais de impaciência e empurra-o até à cama. Após uma dança do ventre relativamente convincente, segue-se o inevitável encontro de corpos. Vasco ainda alude, vagamente, à possibilidade de uma indigestão, mas a loura não se preocupa com a questão. Come pouco por causa da linha e é partidária da ideia de que todas as horas são horas boas para fazer sexo. Talvez por isso Vasco a rotule de ninfomaníaca. Após uma hora de «trabalhos forçados», expressão que Vasco gosta de utilizar entre amigos, Vasco saboreia um copo de leite morno, enquanto a loura se prepara para a morna conversa do «pós».

— Sabe, Vasquinho, o Menino faz-me tanta falta!...

— ...

— Ando semanas inteiras sem o ver!...

— Sabe como é o meu trabalho; aquilo não é trabalho, é escravatura.

— Mas não pode passar a vida a trabalhar, querido!

— Mas se eu não trabalhasse, quem é que comprava tudo isto? — Tece um gesto vago, amplo e pretensioso, que abarca toda a *suite* luxuosa.

— Ora!... sempre podia trabalhar um pouco menos...

— Eu cá gosto de viver bem! Há coisas sem as quais não posso passar...

— Ora... o Menino está mal habituado! Só isso...

Decorrida precisamente uma hora após o final dos «trabalhos forçados», Vasco gastou a conversa com Carlota e decide chamar um táxi. A loura parte, com um olhar triste e sedutor.

— Veja lá se me telefona... — zune, meia cambaleante, habilmente equilibrada em cima de umas andas cor de prata, antes de desaparecer no elevador.

«Já ando com esta há um mês», pensa Vasco para com os seus botões. Não me parece que lhe telefone tão cedo! Deita-se na cama desfeita, envolta no perfume caro da loura e adormece a contabilizar os seus bens. Como quem conta carneirinhos. Como poderá trabalhar menos? Impossível!

III

Outubro de 2002

O Antiquarium, casa de antiguidades que herdou do pai, encaixa-do numa transversal à D. Pedro V, está habitualmente às moscas. Alguns meses atrás, o velho amigo Vasco aconselhou Duarte a ligar o computador à *net.* «Para que o tempo não te custe tanto a passar», disse-lhe na altura. A ideia não o entusiasmou, mas acabou por ace-der, meio a contragosto. No início da sua experiência como cibernau-ta, Vasco consumia os dias a explorar *sites* na *net, sites* relacionados com antiguidades. Mais recentemente, aprendeu a aceder às *chat rooms* e a entrar em *chat* com pessoas, entenda-se, mulheres, de todo o mundo. Para Duarte, homem culto e viajado, que estudou em cidades como Florença ou Roma, as conversas vulgares com as *cyber-friends* não lhe despertaram qualquer interesse. O que procurava na *net* não eram conversas sobre sexo, não era, sequer, excitação sexual. Procura-va alguém com quem trocar opiniões e confidências, uma possível amiga secreta a quem contar o que lhe atravessava a alma, sem se expor em demasia. Duarte é, antes de mais, um tímido. As mulheres com quem se foi relacionando ao longo dos seus quarenta e um anos de vida sempre se interessaram mais pelos seus olhos azuis e pelos seus fartos caracóis louros, do que propriamente pela descoberta da sua alma. Aprendeu a ser muitas personagens, a desempenhar papéis diversos, de acordo com as expectativas dos outros e dedicou pouco tempo e energia à incómoda tarefa de se revelar. Para além de tudo, porque durante toda a sua vida Duarte apenas amou uma mulher. Porque insiste em amar a memória dessa mulher. Persiste de tal forma impregnado do seu amor por ela, que não lhe é possível estabe-

20

lecer um diálogo mais intimista com alguém, sem que a sua paixão por essa mulher aflore os seus lábios ou, neste caso concreto, o dedilhar das teclas do computador.

Duarte conheceu Laura em Outubro do distante ano de 1985 na belíssima cidade de Florença, nos tempos da pós-graduação em História da Arte na Università degli Studi di Firenze. Na altura, tinha acabado de completar vinte e cinco anos, e Laura era sua colega de turma. Desde o primeiro dia de aulas que se sentiu fascinado pela sua beleza, pela sua candura, pela sua aura angelical de ser etéreo que não habita este mundo real, mas um outro, distante e misterioso, povoado por seres belos e bondosos. Laura descobriu em Duarte um ser meigo, apaixonado, carente, culto, viciado em objectos belos, detentor de um gosto requintado, cidadão do mundo, amante de arte, literatura e música erudita. Sentiu-o diferente de todos os outros homens que até então conhecera. Aproximaram-se um do outro de uma forma natural e inevitável. Souberam-se almas gémeas em muitos momentos, aperceberam-se das suas similitudes nos comentários sobre peças de arte, na troca de apontamentos, nos jantares de turma e em todos os outros momentos que partilharam. «Laura perdeu-se de amores pelos seus olhos azuis e pelos seus caracóis louros», comentavam as colegas mais invejosas. Mas, a verdade é que Laura descobriu em Duarte, para além da sua inquestionável beleza física, outros encantos. Encantos secretos. Não acessíveis a todos os olhares. Duarte falava-lhe de Portugal e do seu projecto de manter aberto o estabelecimento do pai, na zona do Príncipe Real. Laura tinha um tio-avô, irmão de sua avó, português, e o projecto de Duarte afigurava-se-lhe tentador. No tempo da licenciatura, Laura tinha passado um período de duas semanas em Lisboa e tinha ficado fascinada pela capital portuguesa, particularmente pelas casas de antiguidades e pela luz da cidade. Apesar de estar a tirar a pós-graduação em Florença, Laura residia com os pais em Roma. A convite de Laura, desde o primeiro ano da pós-graduação, Duarte começou a frequentar a casa da sua família com uma assiduidade reveladora. Inicialmente, fins-de-semana; mais tarde, dias de férias e, finalmente, as férias na sua íntegra. Os pais de Laura, prestigiados livreiros romanos, deixaram-se seduzir pelo encanto de Duarte e incentivaram vivamente a sua relação amorosa com Laura. A relação, apesar de não assumida nos dois primeiros anos do curso, por questões de timidez de parte a parte, foi, desde os primeiros momentos, intensamente vivida pelos dois, no âmago dos seus seres.

A alguns dias do término da pós-graduação, aproximadamente três anos após ter conhecido Laura, Duarte, munindo-se de uma coragem que desconhecia em absoluto, explicou a Laura, numa declaração heróica e algo intempestiva, pouco própria do seu feitio, que só regressaria a Portugal se ela o acompanhasse. Laura ruborizou, gaguejou, cambaleou, acabando por conseguir articular que era tudo o que mais queria no mundo. Expressou-o de uma forma tão doce e tão convicta, que Duarte ganhou novo fôlego e se aventurou a beijar-lhe os lábios e a envolvê-la num abraço terno e caloroso. Pouco dias depois da declaração de amor, a pedido dos dois enamorados, a família de Laura planeou uma inesquecível cerimónia de noivado, que preencheu as páginas das revistas cor-de-rosa italianas. Nesse mesmo dia, Laura explicou a seus pais que tencionava viver no país do seu noivo. Os pais ficaram naturalmente tristes com a notícia. Laura era a sua única filha, e teriam preferido que vivesse perto deles. No entanto, acataram estoicamente a decisão da filha. Como bons pais tradicionalistas, pediram a Laura que se casasse antes de partir. Mas Duarte tinha pressa de regressar ao seu país e de concretizar os seus projectos. Não havia tempo para esperar por um casamento que demoraria tempo a planear da forma pretendida pelos pais de Laura. Assim sendo, em Janeiro de 1989, Duarte regressou a Portugal acompanhado da sua noiva. Foi, pois, na condição de noiva oficial que Laura ocupou o palacete do Príncipe Real. O palacete que Duarte herdara dos seus pais após a sua morte e que apelidava, com uma nota de *snobismo*, «Le Petit Palais». Na realidade, Duarte era um *snob*. Interessava-se pelo estudo de brasões, por heráldica e pela reconstituição de linhagens. Orgulhava-se dos seus antepassados e atribuía-lhes um questionável sangue azul. Costumava afirmar que descendia de um vice-rei português, ficando por se saber de que vice-rei, em concreto e, por provar, a realidade de tal descendência. Duarte julgava-se um nobre. Um nobre decadente, se se quisesse ser mais preciso. Apesar de ser o legítimo e exclusivo herdeiro do «Petit Palais», da casa de antiguidades e do seu valioso recheio, o dinheiro não era abundante. Por não o ter, Duarte dedicava um desdém profundo aos «novos-ricos» e à burguesia lisboeta em geral.

Laura passou a ocupar um quarto no último andar do palacete. Duarte empenhou-se em decorá-lo com a opulência de outras épocas, recorrendo a objectos de antiquário, de acordo com a apetência de ambos pelo requinte e pelo luxo. Domitília, a governanta de sempre da família de Duarte, terá considerado estranho que, nos dias de então, dois jovens apaixonados dormissem em quartos separados.

Mas estava por demais habituada às excentricidades do menino Duarte, para tecer qualquer tipo de comentário. Duarte aguardava, pacientemente, o dia em que finalmente se casasse com Laura para partilhar o seu leito. Os preparativos para o casamento decorreriam em Roma e iam sendo cuidadosamente conduzidos pela mãe de Laura. Tudo teria, decerto, acontecido como num verdadeiro conto de fadas, se Laura não tivesse falecido de um dia para o outro, sem aviso prévio, sem que nada fizesse antever o seu final fatídico. Duarte poderia estar preparado para tudo, mas não para a morte daquela mulher, daquele ser angélico e divino que lhe iluminava a existência.

Laura teve uma morte suave e indolor, doce e silenciosa como ela própria. Estava-se no dia 5 de Abril de 1989. Quando Domitília a encontrou, estendida no seu leito de morte, esboçava nos lábios azulados um sorriso ténue, comparável ao de um anjo adormecido. A imagem da Bela Adormecida invadiu o pensamento de Domitília. Duarte acorreu aos gritos da governanta, e recusou ver o que os seus olhos lhe comunicavam. Beijou Laura nos lábios, com doçura e cuidado, mas a Bela Adormecida não despertou do seu sono de morte. Duarte abandonou impetuosamente o quarto de sua amada, fechou-se à chave no seu próprio quarto e recusou-se a sair e a enfrentar a situação. Domitília viu-se obrigada a tratar de todos os pormenores decorrentes da morte, completamente sozinha. Avisou os pais de Laura por telefone e tratou de fazer o corpo seguir de avião para Roma, terra Natal de Laura, onde os familiares o esperavam, envoltos em dor. Duarte nunca se conformou com os desígnios traçados pelo destino. Mergulhou num estado de desespero alucinado, e durante muito tempo, vegetou, vagueando pelos corredores do palacete, deambulando noite e dia, sem destino aparente, mergulhado numa condição bizarra, situada algures entre a morte e a vida, entre o real e o fantasmagórico. Duarte não esteve presente no funeral de Laura. As pessoas mais chegadas pressagiaram-lhe um fim iminente e fatídico. Não comia, não bebia e não comunicava com absolutamente ninguém. Decorridos dois meses após a morte de Laura, Domitília telefonou para Roma e contou aos pais de Laura o estado em que Duarte se encontrava. Não tinha mais a quem recorrer. Tinha falado com Vasco, o melhor amigo de Duarte, mas este também não sabia o que fazer. Duarte não tinha parentes chegados ou mesmo afastados e, para Domitília, os pais de Laura representavam os seus únicos «parentes». Os pais de Laura, ainda envoltos em dor, apressaram-se a apanhar um voo para Lisboa, no ensejo de proporcionarem algum consolo a Duarte e de também eles receberem algum consolo por parte daquele que tanto amara a sua filha. Domitília abriu-lhes a porta do palacete e encaminhou-os até ao quarto em que Duarte repousava, moribundo. Duarte não manifestou o mínimo sinal de reconhecer aqueles que, caso o destino o tivesse permitido, teriam sido os seus sogros. A família Loretto permaneceu um mês no palacete, na esperança de que Duarte despertasse do estado de coma psicológico. Procuraram os melhores médicos e recorreram a curandeiros menos tradicionais. Sem os mínimos resultados. Desiludidos, dilacerados de dor, regressaram a Roma. A boa Domitília nunca deixou de lhes enviar notícias do estado do seu menino. Decorridos precisamente dois anos sobre a morte de Laura, a 5 de Abril de 1991, Duarte despertou, misteriosamente, do seu alheamento perante o mundo. Tinha, nessa altura, a idade de trinta anos. Levantou-se, tomou banho, fez a barba de dois anos, tomou o pequeno-almoço e encontrou Domitília na cozinha. Domitília fitava-o como se fitam os fantasmas. Duarte beijou-lhe a face, como sempre fizera, com uma inusitada naturalidade, como se nunca nada tivesse, de facto, acontecido. Domitília caiu de joelhos no soalho, de mãos unidas em sinal de prece e olhos erguidos para o céu. Num tom de voz transtornado, sussurrou as palavras: «As minhas preces foram ouvidas! Obrigada, minha Nossa Senhora!» A partir desse mesmo dia as suas idas a Fátima no mês de Maio tornaram-se obrigatórias. Foi também a partir desse dia que Duarte se entregou, de corpo e alma, à tarefa de reabertura da casa de antiguidades da família. Saía pouco à noite. Dado que estivera três anos em Itália, contava com raros amigos em Lisboa. Os poucos que tinham restado tinham-se afastado, assustados com o seu estado de saúde dos últimos dois anos. Apenas Vasco, o seu amigo mais antigo e mais precioso, o continuara a visitar durante o «estado de coma». Continuara a visitá-lo todas as semanas e a falar com ele, sentado numa cadeira à beira de sua cama. A falar durante longas e inebriantes horas. Horas e horas a contar-lhe as novidades do mundo lá de fora. Quem namorava com quem, quem casara com quem, quem tivera filhos, quem se divorciara, quem estava bem na vida e quem nem por isso. A falar-lhe de todos os outros e dele mesmo. De si e da sua grande paixão por Matilde. Bela e doce Matilde. A sua Deusa, a sua ninfa, a única mulher da sua vida. A única entre tantas outras que lhe povoavam os dias e as noites desde os catorze anos de idade. Contava-lhe do seu casamento com Matilde, do nascimento do seu filho Martim, ainda longe de saber que o casamento com Matilde estava por um fio. Falava-lhe das proezas do seu filho Martim. Pouco se importando com o facto de não receber qualquer sinal de entendimento por parte de Duarte. A falar com

Duarte, com a mesma dedicação e carinho com que o enfermeiro falava com a sua paciente em coma no extraordinário «Fala com ela» de Pedro Almodóvar.

Agora que Duarte despertara do seu sono de anos, qual *Bela Adormecida* em versão masculina, e não em consequência de qualquer beijo apaixonado de qualquer princesa, Vasco continuava a ser a companhia assídua dos seus serões. Jogavam xadrez, ouviam música clássica, paixão há muito partilhada, e frequentavam o São Carlos. Vasco alugava um camarote à temporada. Por puro *snobismo*. Por julgar chique. Nas noites em que não contava com a companhia do amigo, Duarte entretinha-se a escrever o que apelidava de textos poéticos sobre Laura. Textos poéticos que, compilados, comporiam muitos, muitos livros, tantos que juntos constituiriam uma obra poética de peso, tanto mais que Duarte sempre alimentara uma paixão por poesia e que o seu interesse pelas palavras era quase tão grande, quão o seu interesse por obras de arte e antiguidades. Duarte não escrevia com o objectivo de mais tarde publicar. Tão somente com o intento de exprimir os sentimentos que tolhiam a sua alma solitária. Ocasionalmente, dava alguns poemas a ler a Vasco. Vasco não apreciava poesia, mas lia por mera solidariedade para com o amigo.

As recentes amizades que Duarte criara no mundo surrealista da *net* não manifestavam particular interesse em escutar a história da perda trágica do grande amor da sua vida. Estava quase disposto a abandonar aquele meio de comunicação quando, subitamente, quis o destino, o mesmo que lhe levara Laura, que se cruzasse com uma utilizadora da rede cuja identificação era, simplesmente, *Butterfly*. *Butterfly* revelou-se, desde o primeiro *chat*, uma *net-friend* atenta e perspicaz, sensível e amistosa, e Duarte (ou, melhor dizendo, *Angel*) passou a aguardar, ansiosamente, pelos momentos em que os dois estivessem *on line* em simultâneo. Por alguma razão, que Duarte desconhece, *Butterfly* tem uns horários estranhos e algo imprevisíveis, mas o facto é que, mesmo que apenas comuniquem durante cinco minutos, esses minutos se tornam cada dia mais preciosos. Duarte não imagina por que razão a sua *net-friend* dispõe de tão pouco tempo para comunicar via *net*. Talvez aceda ao computador no local de trabalho e, só quando encontre uma pausa no mesmo, tenha oportunidade de comunicar. Duarte desconhece em que tarefas se processa essa pausa, dado que o *chat-room* em que os dois se cruzaram é regido pelo princípio da privacidade relativamente à identidade de cada membro. No entanto, dita a ética do ciberespaço que se deve ser honesto no sexo assumido, isto é, se *Butterfly* se apresenta enquanto mulher, Duarte presume que *Butterfly* é, de facto, uma mulher. Desconhece, no entanto, as suas outras características identitárias, nomeadamente: profissão, zona de residência, idade, estado civil, ou quaisquer outros elementos. Seja *Butterfly* mulher ou não o seja, o facto é que passou a integrar e a transformar o quotidiano de Duarte de forma intensa, forma da qual nem o próprio se encontra ainda integralmente consciente. Partilham mágoas com a assiduidade de amigos de sempre. Meses decorreram desde o momento em que, pela primeira vez, entraram em contacto. São agora uma espécie de amigos íntimos. Partilham tanta intimidade quanto a que a *net* permite que duas pessoas partilhem.

IV

Novembro de 2002

Sexta-feira. Consultório da Avenida Miguel Bombarda. Dezanove horas e cinquenta e três minutos. Na sua profissão, os minutos são fundamentais. Manuel, psiquiatra, recosta-se na poltrona de couro castanho em que escuta os lamentos dos seus pacientes ao longo de cinquenta minutos exactos e acende uma cigarrilha. O último cliente do dia acaba de sair. Cinquenta minutos de sessão terapêutica pagos a peso de ouro. Setenta e cinco euros por cinquenta minutos ou, de outra forma, um euro e meio ao minuto. Com recibo, obviamente. Mais de 30% deduzidos para o maldito IRS. Não há forma de escapar. Todos os clientes pedem o maldito recibo. Afinal de contas, não serão tão malucos quanto isso! No dia que agora termina, Manuel atendeu cinco clientes. Sente-se cansado de ouvir pessoas falarem das suas vidas infelizes. Todos os dias é assim. Ouvir, em silêncio, os problemas dos doentes, de manhã à noite, dia após dia, semana após semana, mês após mês, ano após ano. Em quarenta e cinco anos de existência, quase metade a ouvir os problemas dos outros. Medicina em Santa Maria. Especialidade em Psiquiatria. Estágio no Miguel Bombarda. Após o estágio, consultas internas no hospital. Durante as manhãs. Da parte da tarde, até há pouco tempo, consultas num consultoriozinho alugado, bafiento e decrépito, numa transversal à Almirante Reis. Dois anos atrás, por insistência de dois colegas dos tempos da faculdade, Manuel mudou-se, de armas e bagagens, para um consultório na Miguel Bombarda. Terá achado piada à coincidência dos nomes, o do hospital de formação e o da avenida do consultório. Não é um prédio de luxo, mas é, pelo menos, um consultório condigno.

Finalmente, um consultório condigno! A sua amiga Matilde ficou contente com a mudança. Afirmava que o consultório antigo era inadequado à posição que Manuel foi adquirindo com o passar dos anos. Emília bate à porta.

— Entre!

Emília entra. Velha, enrugada, flácida, pálida e monocórdica. Terá sido assim desde que o mundo é mundo. Manuel trouxe-a do antigo consultório. A velha Emília! Como poderia viver sem ela? Tornamo--nos dependentes das pessoas que dependem de nós e que se revelam eficientes. Emília correspondia na perfeição aos requisitos que Manuel julgava fundamentais numa recepcionista de um consultório de psiquiatria: alguém que não o distraísse do penoso exercício do seu trabalho. Alguém excessivamente alegre poderia afastar os doentes, em geral macambúzios e sorumbáticos. Emília era *low-profile*, reservada, algo apática, depressiva e desinteressada da vida de cada um. Recebia um esquizofrénico com a mesma naturalidade com que recebia um psicopata. Pedia os dados, para preencher a ficha da primeira consulta, num tom de voz que poria qualquer um à-vontade. As palavras: «Nome, morada, número de telefone/telemóvel, data de nascimento, idade, profissão», soletradas num tom cadenciado, suave e inofensivo e os dados apontados sem a mínima falha. No caso de o doente não ser capaz de fornecer os seus dados, Emília pediria os cartões de identificação e desenvencilhar-se-ia na perfeição. O mais importante de tudo é que pedia os cem euros da primeira consulta e os setenta e cinco das seguintes com a naturalidade com que se pedem dez cêntimos por uma carcaça. Após duas ou três sessões, Emília tornava-se para os pacientes uma peça fundamental do processo tera-pêutico. Alguns tecem-lhe queixas dos seus males, mas ela estimula--os pouco no prosseguimento das suas lamentações. Limita-se a acenar concordantemente com a cabeça e a observar:

— Vai ver que o doutor o/a deixa como novo/a num instante!

É claro que a questão do «instante» é por demais relativa. Os processos terapêuticos em psiquiatria são morosos e nem sempre bem-sucedidos. Manuel recorre a uma terapia de tipo analítica, que atribui grande destaque à análise da infância e dos acontecimentos passados e que se revela particularmente morosa. A voz monocórdica da Emília:

— O Senhor Doutor não se esqueça que a Doutora Matilde está à sua espera...

Manuel estremece na cadeira de couro. A Matilde! Pois claro que se esqueceu de Matilde. Como quem se esquece de tirar um bolo do forno, por mais que o deseje provar. Bolas! Pensa que deveria interpretar esse esquecimento. Quem lhe dera esquecer-me mais vezes da Matilde! Como se fosse possível esquecer-se de Matilde! Se Matilde povoa o seu pensamento desde que a viu pela primeira vez, uma eternidade atrás.

— Ó, Emília, por amor de Deus, faça-me entrar a senhora doutora e vá para casa, alma de Deus!

Emília soletra um «até amanhã» inaudível e faz sinal a Matilde para que entre. Matilde entra no consultório às vinte horas em ponto. Manuel tem sempre o cuidado de verificar, ao minuto, a hora de entrada de cada pessoa naquela sala. Neste caso, precisão totalmente desnecessária, dado que Matilde não paga os minutos que Manuel lhe dedica. Ele, sim, estaria perfeitamente disposto a pagar todos os minutos que ela lhe dedica e que são muito menos do que ele gostaria. Ergue-se da poltrona, estende os braços para Matilde da forma sempre exagerada com que gosta de a cumprimentar e com que procura disfarçar o estado de demência em que a sua presença o mergulha. Deposita-lhe dois beijos quentes e demorados nas faces e deixa-se envolver numa onda quente e sensual de *Haute Couture*, o perfume a que ela o habituou nos dias mais frios e quando está com um dado estado de humor.

— Desculpa lá, meu amor! — soletra em voz amaciada.

Em resposta ao pedido de desculpas, Matilde presenteia-o com um sorriso irónico, de quem o conhece há tempo de mais para que desculpas sejam necessárias e espreguiça-se na *chaise-longue*, assumindo a posição de cliente do senhor doutor, com o cuidado mal disfarçado de que as suas pernas não fiquem demasiado a descoberto. Matilde, doce Matilde! Sempre perfeitamente ciente do seu potencial sedutor, confabula Manuel, enquanto regressa ao aconchego da sua poltrona e acende nova cigarrilha, com vagar, sem antes se perder na análise detalhada das curvas do corpo voluptuoso de Matilde. De olhos cerrados, introspectiva. Poderia ficar assim até à eternidade, que nunca se cansaria de olhar o seu corpo róseo e provocante, desenhado na *chaise-longue* de dissecação das almas. Um silêncio longo que os envolve na penumbra do final de tarde. Um silêncio doce e intenso, adocicado pelo aroma forte do *Haute Couture*, preenchido pelos pensamentos pecaminosos de Manuel em relação àquela que, apenas em utopia, poderia ser mais uma cliente. Matilde abre as pálpebras e fita o tecto, circunspecta.

— Estou morta! Se me deixasses, dormiria aqui mesmo...

A voz turva e rouca que sempre lhe escutou, acrescida da sonolência, do cansaço de uma sexta-feira ao final de um dia de muito trabalho. Lá fora, o buzinar longínquo dos carros que regressam a casa para mais um fim-de-semana sem destino.

— Não me importaria mesmo nada! — observa Manuel, baixinho, enquanto desenha círculos de fumo no ar.

— Tive um dia simplesmente terrível! Aquele hospital dá comigo em doida. Qualquer dia voltas a ter-me como cliente.

— Volto?

— Sim. Não te esqueças de que há uns anos me receitaste uns medicamentos. Que por sinal pouco me ajudaram!...

— Não daria certo ter-te como cliente. As relações terapêuticas são por demais complexas.

— Afinal, tu és o médico do meu tio...

— Sabes perfeitamente que é completamente diferente! Não sou propriamente amigo pessoal do Salvador. Além do mais, Matilde, tu não precisas de terapia!

— OK, tens razão! Tens sempre razão, Manel. Mas deixa-me lá ser um bocadinho infantil de quando em quando. Estou farta de ser a doutora Matilde o dia todo. Apetecia-me ser tua cliente por um bocadinho, percebes? Falava-te dos meus problemas, davas-me colo...

Manuel sorri. O sorriso de quem conhece o filme de trás para a frente e da frente para trás.

— És tão querida! — Manuel pensa que a deveria odiar, que ela faz dele gato-sapato. Interroga-se se o fará de propósito ou por pura inconsciência.

— Tu é que és um querido! Deves ser muito amoroso para com as tuas clientes. Sempre que cá venho, tens a sala repleta de mulheres lindas, produzidíssimas, que se percebe que passaram o dia todo a arranjar-se especialmente para a sessão. Acredito que muitas nem tenham mesmo problema nenhum, para além de estarem, obviamente, apaixonadas pelo psiquiatra. Se imaginasses as vezes que retocam o bâton!...

— És tão infantil quando queres, Matilde! E como eu gosto de mulheres pretensamente infantis e que, na verdade, são maduras e equilibradas como tu, meu amor.

— Tenho sempre vontade de ser assim contigo, Manel. Despertas em mim um desejo incontrolável de te seduzir — ironiza Matilde.

Manuel solta uma gargalhada estridente. Conversa de final de tarde. Conversa que começa a aborrecê-lo. Pensa que se a Matilde não tivesse aparecido, poderia ligar-se à *net*. Isso, sim, interessa-lhe. Há anos que Matilde lhe dá o que, em psicologia, se designa por reforço intermitente. Uns dias diz-lhe que sim, outros que não. É dos livros que este tipo de reforço tende a incentivar o comportamento do outro. A verdade é que não passa de uma brincadeira de Matilde. Brincadeira que tem consequências, das quais ela não se apercebe. E ele, apaixonado por ela há tantos anos, que lhes perdeu a conta!

— Queres ir jantar ao Pap'Açorda? — pergunta ela, balouçando, sedutora, o pé esquerdo.

O pai de Matilde, o doutor Bernardo Silva Lapa, foi professor de Manuel em Santa Maria. Oftalmologia. Há anos sem fim! Tudo na sua vida parece ter sido há tempo de mais, pelo que pensa, com frequência, dever ser muito velho. Velho de mais! Velho de mais para tudo, até mesmo para confessar o seu amor.

— A esta hora? — inquire, fingindo, na perfeição, um ar entediado.

— Não tens fome?

Conheceu Matilde em casa dos pais. Ela teria, na altura, os seus dezoito anos, e era, simplesmente, deslumbrante! Foi o pai quem os apresentou. Matilde achou-lhe graça. Manuel não percebeu porquê, porque considerava não ter muita graça. Cinco anos de diferença, lembra-se de ter pensado. Uma diferença de idades adequada. Manuel nunca tinha tido uma namorada a sério. Apenas *flirts* inconsequentes. Veio a emprestar-lhe os seus preciosos e cobiçados apontamentos de melhor aluno da sua turma e, talvez em resultado da sua generosidade, conquistou o privilégio de começar a frequentar a casa de Santos com alguma assiduidade. Discreto, aprumado, bem-educado, passou a ser uma companhia certa de Matilde e do seu grupo de colegas da faculdade. Mas era óbvio que Matilde não se sentia atraída por Manuel. Apesar de tudo, Manuel foi criando ilusões, nomeadamente a de que o tempo se encarregaria de tudo. A relação dos dois atravessou fases diversas. Mais tarde, a pedido do doutor Silva Lapa, Manuel tornou-se o médico particular do seu irmão Salvador. Matilde venerava o tio, e o facto de Manuel ser o médico do tio, tornou-os ainda mais próximos. Tudo corria bem. Matilde terminaria o estágio em Julho de 1989 e Manuel planeava, meticulosa e pacientemente, pedi--la em casamento.

— Tenho fome! — interrompe a voz de Matilde.

Manuel acalentava essa intenção há muito tempo. Estudara as palavras ao pormenor, ensaiara-as vezes sem conta, em frente do espelho do seu quarto. Na altura tinha trinta e um anos, uma vida estável, um apartamento modesto e consultório montado. Tinha mantido casos amorosos incipientes, mas, no seu entender, suficientes para poder ser fiel a uma só mulher. Estava maduro para casar e tinha encontrado a mulher dos seus sonhos. Matilde! Bela, inteligente, honesta, madura. Matilde seria a esposa ideal, a mãe perfeita dos filhos que sabia ambos quererem ter. Os pais de Manuel viviam numa aldeia nas imediações da Figueira da Foz. Telefonou-lhes e declarou solenemente:

— Hoje vou pedir uma pessoa em casamento!

Do outro lado da linha, a voz da mãe estremeceu de felicidade.

— Podíamos ir ao cinema e depois ir comer uns bifes por aí... — insiste Matilde, bocejando.

Estava-se em finais de Julho do ano de 1989 quando Manuel combinou um encontro com Matilde. Tinha envergado a sua melhor roupa, posto um perfume que sabia ser do seu agrado, estudado, uma a uma, as palavras de uma declaração de amor. Sentia-se seguro. Perfeitamente seguro. Conhecia-a há oito anos. Viam-se praticamente todos os dias. Ela era a sua melhor amiga. Ele era o melhor amigo dela. Por que não haveria Manuel de se sentir seguro? Tinham combinado encontrar-se no Jardim de Belém. Ela gostava de ir para lá estudar. Matilde chegou às cinco horas da tarde. Bela e perfumada. Radiosa como o sol de Julho. Ele estava sentado num banco de madeira verde-garrafa e segurava na mão um ramo de rosas vermelhas. Ela chegou até ele, a cantarolar baixinho, como sempre teve a mania de fazer e perguntou-lhe logo, com um sorriso enorme a bailar-lhe nos olhos negros:

— Não me digas que são para mim!...

Olhou-a fixamente, com um olhar que soube diferente do habitual e estendeu-lhe as rosas. Ela aceitou-as de imediato. Matilde adorava receber presentes. Sem necessidade de datas particulares. De preferência sem ser em datas particulares. Da mesma forma como gostava de os oferecer às pessoas de quem gostava. Era apenas mais um pormenor nela, que o encantava. Apenas mais um. Na verdade, tudo nela o encantava.

— Não me apetece bifes... — observa Manuel.

— Matilde, meu amor, — soletrou Manuel — tenho uma coisa muito importante a dizer-te...

— Manel, eu também tenho uma coisa importante para te dizer.

— Matilde tinha os olhos radiosos, iluminados, humedecidos. Ria-se sem barulho. Ele estremeceu interiormente, sem saber a razão do seu tremor. A tarde estava abafada. Sentiu gotas de suor a descerem pelas suas fontes. Os olhos dela humedecidos, transformados, estranhamente iluminados, a sorrirem muito:

— Diz tu primeiro, Manel, diz, vá!

Algo dentro dele o impeliu a ficar mudo. Ela insistia:

— Diz lá que eu não posso esperar mais para te dizer o que te quero dizer.

Nesta troca de palavras e silêncios ele não soube por quanto tempo. Ela a querer que ele contasse, ele quedo e mudo, irritado consigo mesmo e intrigado com o que quereria ela dizer-lhe de tão importante.

— Diz-me tu primeiro — propôs ele, então, sem vontade.

— Não! Dizes tu primeiro! — retorquiu ela, sem conter a felicidade que a invadia.

— Bem, parecemos dois parvos! — observou ele, já sem paciência. Algo na atitude dela, no brilho dos seus olhos, no gesticular nervoso das suas mãos de dedos compridos, o aconselhava a manter-se na defensiva.

— Quem diz bifes, diz outra coisa qualquer — retorque Manuel, impaciente com a fome.

E então ela tomou a palavra:

— Manel, meu amor, meu Manelinho, vou casar! — enquanto falava, dava saltinhos com os pés e remexia as mãos de dedos compridos, como que subitamente enlouquecida.

Matilde teve a sensação de que terá passado uma eternidade sem que ele proferisse palavra. De facto, Manuel demorou algum tempo a compreender o significado das suas palavras que teimavam em não fazer qualquer sentido na sua cabeça estonteada. Sentiu uma náusea ligeira, depois uma sensação de total perda de forças. Cambaleante, ergueu-se no banco em que estivera calmamente sentado antes de ouvir estas palavras. Matilde continuava a falar, indiferente a tudo, sem sequer o olhar, alucinada, perdida no abismo da sua alegria infinita.

— Sei que já te devia ter falado dele... Afinal, tu és o meu melhor amigo! Chama-se Vasco, Vasco Rocha! — Ria muito, como se o nome tivesse imensa graça. — É economista, imagina, tu. Sabes, conheci-o há pouco tempo, é verdade, mas estou loucamente apaixonada por ele.

Aquelas palavras atravessavam o cérebro de Manuel com a velocidade de balas e teciam ricochetes no seu interior como se, de repente, o seu cérebro se tivesse transformado num imenso espaço vazio.

— Já sei que vais ficar chateado por só agora te dizer, mas sei que o vais adorar. Tem sentido de humor, é lindo e, bem... adoro-o — interrompeu o discurso, decerto para recuperar o fôlego. — Manel, vá lá, diz qualquer coisa... Dá-me um abraço.

— Não me apetece comer, Matilde! Na verdade, só me apetece ir para casa e tomar um banho quente e demorado — lamenta-se Manuel, a voz baixa, cansado de tudo.

Ele mudo, a olhar para nada. Sentiu o corpo dela de encontro ao seu, num abraço estreito e demorado, de que não teve a iniciativa. No fundo do seu abismo de sensações, pareceu-lhe que ela o observava, por breves instantes, com alguma atenção:

— Pronto, diz-me agora tu o que me querias dizer!

Manuel, mudo e quedo. O corpo quebrado. Onde diabo teria ela conhecido esse tal de Vasco, se ele conhecia todos os seus amigos?

— Onde é que o conheceste? — articulou, devagar. A sua voz soou-lhe distante, como que oriunda de um espaço longínquo.

Matilde desfez-se num riso deslocado.

— Nem queiras saber... — riu de novo. Manuel pensou que nunca a tinha visto tão histérica.

— Imagina que o conheci numa mercearia de Santos. Sabes como é que eu sou distraída... Cheguei com as compras à caixa e não tinha dinheiro para pagar. Imagina lá tu o meu embaraço! Ele estava atrás de mim na fila e ofereceu-se para pagar a conta. Foi muito delicado. Aceitei. Começámos a falar e descobri que somos vizinhos há imensos anos. Duas ruas acima da minha, imagina tu, e nunca nos tínhamos encontrado. — Ela ria sem parar, como uma louca.

Manuel soltou uma espécie de uivo, que não ouviu. E Matilde prosseguiu, impiedosa para com o seu sofrimento, perdida na sua ingenuidade.

— No dia seguinte fui a casa dele. Devolvi-lhe o dinheiro que me tinha emprestado. Convidou-me a entrar. Descobrimos uma série de interesses comuns. Passámos a ir jantar fora. Foi assim. Tão simples quanto isto.

— E se jantássemos em tua casa? — pergunta Matilde, ensonada.

Ele lembrou-se de que nos últimos tempos andava a ser difícil sair à noite com Matilde. Ela arranjava desculpas esfarrapadas relacionadas com o ter de estudar para os exames da especialidade.

— Interessante! E há quanto tempo foi isso? — sussurrou Manuel, sem esconder a sua zanga.

— Há cerca de quatro meses. Foi tudo muito rápido. Como num filme. Amor à primeira vista. Percebes?

Manuel não percebia.

— Escusas de fazer uma cena! Sabes que vou sempre ser tua amiga. A tua melhor amiga, percebes, Manel?

— Claro! — articulou Manuel a custo, a voz pastosa a ecoar na garganta tricotada de nós.

— Ora, Manel, tu vais adorá-lo, vais ver...

«Adorá-lo?! É claro que o vou adorar», pensou Manuel para com os seus botões. Desfilaram pela sua cabeça várias formas possíveis de assassinar pessoas.

— Olha, Manel, és um chato! Na verdade, até percebo que estejas aborrecido. Se chegasses ao pé de mim e me dissesses, de rompante, que te ias casar, eu também ia demorar um certo tempo a aceitar. Sou muito possessiva em relação a ti. Não era isso que me ias contar, pois não? — Ela, de olhos arregalados, a fitá-lo, incrédula, antes de qualquer confissão ter lugar.

Manuel fitou-a com secura:

— Não, não era isso!

— Bem, vou-me embora. Estás insuportável! Posso marcar um jantar com o Vasco para vocês se conhecerem. Estou farta de lhe falar de ti. Está desejoso de te conhecer.

— Dispenso jantares com o Vasco! — gritou Manuel, agarrando no casaco e afastando-se, em passos largos, deixando Matilde especada com o ramo de rosas vermelhas na mão.

Manuel não mais telefonou a Matilde. Também não recebeu dela qualquer telefonema. Nos primeiros dias de Agosto de 1989, encontrou, na sua caixa de correio, um convite para o casamento de Matilde. A ter lugar a 15 de Agosto, na igreja de Santos-o-Velho. Sentiu-se morrer mais um pouco. Vasco Francisco Pereira Rocha, quem quer que a criatura fosse, seria o homem mais feliz do mundo! E ele o mais infeliz. Meteu baixa no hospital e pediu à velha Emília que lhe cancelasse as consultas marcadas. Informou que partia rumo ao Tibete. Com a firme decisão de ingressar num mosteiro, acrescentou para si mesmo. Ou de se atirar do alto dos Himalaias. Partiu. Recorda-se de, nessa altura, ter desejado, com intensidade, de olhos cerrados com força, que aquele fosse mais um casamento fracassado.

— Podes ir jantar lá a casa, desde que não te deites na minha cama e não fales comigo — acrescentou Manuel.

— Combinado! — Com a alegria de uma criança pequena, Matilde deu um salto da *chaise-longue* e encaminhou-se para a porta, com um entusiasmo desconcertante.

Manuel não tem o poder de tornar os seus desejos realidade. Se tivesse, teria casado há muitos anos com a mulher que agora entra no seu *Alfa Romeo* preto e que coloca um CD com a intimidade que, com o passar dos anos, conquistou. A verdade, porém, é que o desejo que Manuel formulou no dia em que recebeu o convite de casamento se veio a concretizar com uma invulgar rapidez.

V

Novembro de 2002

Há quase três anos que Salvador, irmão do falecido doutor Bernardo Sousa Lapa, partilha com Doroteia, ex-amante de Bernardo, a imensa mansão do Restelo. Salvador e Doroteia demoraram longos meses a chegar a um acordo relativamente à divisão do espaço. A casa foi deixada aos dois em testamento pelo irmão de Salvador, Bernardo, na condição de que partilhassem o espaço entre si. Por entre discussões cerradas, impropérios, gritos e acusações mútuas. Actualmente, o espaço está delimitado ao milímetro. O rés-do-chão, envolvendo quatro salas imensas, três quartos e duas casas de banho «pertence» a Doroteia, enquanto o primeiro andar, que inclui três salas, três quartos, duas casas de banho, varandas e um imenso terraço com vista sobre o Tejo, é de Salvador. No início, Salvador não queria aceitar esta solução, atendendo a que a mesma implicaria possuir uma sala a menos do que Doroteia. No entanto, o argumento utilizado por Doroteia, de que seria o senhor exclusivo do imenso terraço do primeiro andar, acabou por convencê-lo. Uma questão que dificultou o andamento das negociações foi a cozinha. De facto, a única cozinha da casa localiza-se no rés-do-chão e nenhum dos dois habitantes se manifestou interessado em partilhá-la com o outro. Pensou-se por alto na hipótese de obras, mas nenhum dos dois estava disposto ou tinha posses para fazer obras, pelo que tiveram de se resignar a partilhar este espaço doméstico. Estando a cozinha localizada no rés-do-chão, a sua utilização por Salvador implicava, no entender de Doroteia, uma violação do seu espaço. Após arrastadas lutas épicas, ficou acordado que Salvador apenas poderia ter acesso à cozinha através do jardim, e nunca pelo interior da casa. Em dias de invernia, tal não era particularmente agradável. Sempre que Salvador pretendia ir à cozinha, era obrigado a sair pela porta do seu terraço, localizada na fachada principal da mansão, descer as escadas laterais até ao jardim e dar a volta a metade da casa, até, finalmente, poder entrar na cozinha pela porta das traseiras. Este percurso revelava-se particularmente penoso, dado que tinha sido cuidadosamente pensado de modo a que Salvador percorresse o mínimo possível de espaço de jardim pertencente a Doroteia. De notar que os mil metros quadrados de jardim tinham sido cuidadosamente e pouco pacificadoramente divididos entre os dois. Pouca racionalidade presidira à divisão, dado que o mesmo jardim incluía espaços diversos: área das árvores de grande porte, pequeno lago, zona de antigas capoeiras, arrumos. Cada um dos inquilinos exigia possuir uma parte de cada zona. A divisão do jardim em múltiplos feudos dificultou a circulação dos dois, e não era raro acusarem-se mutuamente de terem pisado áreas proibidas. A divisão do lago foi fácil. Salvador esticou uma linha a meio e cada um ficou senhor de um dos lados. Os peixes do lago foram divididos de acordo com o critério «cor», ficando Salvador com os cinzentos e com os prateados e Doroteia com os vermelhos. Cinco para um e cinco para o outro. Um dos peixes de Salvador veio a falecer pouco tempo após acordada a divisão, e Doroteia foi, durante um mês, injustamente acusada de ter envenenado o peixe. Mas nem todas as outras divisões dos espaços se revelaram tão lineares quanto esta, tendo sido a divisão da zona das capoeiras a que envolveu maiores dificuldades. Nenhuma das soluções avançadas por um agradava integralmente ao outro, pelo que as capoeiras permaneceram território sem dono durante meses e meses. Na realidade, Doroteia não queria as capoeiras para nada, enquanto Salvador tinha grandes projectos para a zona. Tencionava enchê-las de aves e outros animais. Mas Doroteia não gostava de perder nem a feijões, e, assim sendo, não estava disposta a ceder o espaço sem receber nada em troca. Quando, finalmente, Salvador compreendeu que as capoeiras não interessavam de todo a Doroteia, avançou com uma proposta que ela acabou por aceitar: ficar ele com as capoeiras e ceder-lhe todo o seu espaço de canteiros, no lado poente da mansão. Doroteia pensou, de si para si, que a proposta era irrecusável, mas protelou a decisão para dificultar a vida a Salvador. Decorrido um mês de pretensa reflexão profunda, Doroteia acabou por declarar que aceitava a proposta, ensaiando um ar pouco convencido, apesar de uma imensa satisfação lhe sufocar a alma. A sua paixão pelo cultivo de canteiros era ainda mais antiga do que a sua paixão

pelos prazeres da carne e, no dia seguinte ao acordo firmado, entre-
teve-se a tirar as ervas daninhas, a escarificar a terra e a proceder à
plantação de novas espécies de flores. Salvador, por seu lado, que não
discriminava flores de ervas, dirigiu-se ao mercado e comprou meia
dúzia de galinhas, uns quantos pintos e outras aves de que desconhecia o nome, mas cujas plumagens lhe faziam recordar o seu Moçambique distante. No espaço de quinze dias, as capoeiras ficaram repletas
de aves de todas as cores, de galinhas e pintos. Dois perus e três
gansos passeavam diariamente pelo jardim, debicando as plantas de
Doroteia. Doroteia ficou com os nervos em franja desde que os primeiros habitantes se mudaram para o Restelo, e quase enlouqueceu
quando deparou com os seus canteiros de gladíolos a serem avi-
damente debicados pelas aves. Soltou um grito estridente, que
despertou Salvador da sua sesta habitual e o deixou de coração des-
compassado. Seguiu-se um encontro de inimigos, que poderia inspi-
rar um filme épico, e Salvador, perfeitamente exausto, após quatro
intensas horas de gritaria selvática, acedeu em comprar uma rede para
vedar o seu território e o separar do espaço da sua «vizinha». As aves
enlouqueciam Doroteia, que não tinha particular apreço por animais.
Sentia-se lesada e começou a conjecturar uma forma de retribuir a
Salvador o barulho das suas aves. Decidiu comprar um papagaio
jovem, que o dono assegurou ser detentor de uma inteligência rara e,
com a paciência de um santo, começou a ensinar-lhe algumas palavras
e expressões. Baptizou-o de *Zacarias*, colocou, ardilosamente, o seu
poleiro dourado num canto da cozinha e, ao fim de algum tempo,
conseguiu que ele vociferasse em tom esganiçado a expressão «Às
armas». A primeira vez que Salvador deparou com o pássaro na
cozinha, o animal fitou-o com um ar que Salvador interpretou como
sendo de gozo. O animal observava-o de lado, com o pescoço todo
retorcido e um olho fechado. Doroteia cantarolava em voz baixa,
enquanto lavava a cozinha com uma esfregona, aparentemente alhea-
da do encontro entre Salvador e o pássaro. Salvador iniciou a confecção do seu pequeno-almoço, esforçando-se por não tecer qualquer
espécie de comentário. Só falava com Doroteia em situações de abso-
luta necessidade. Era isso que estava acordado desde o primeiro dia de
coabitação, apesar das contínuas partilhas de tudo implicarem mais
palavras do que ambos teriam desejado. O papagaio insistia em
observá-lo de uma forma que Salvador interpretava de irónica e pouco
amigável, e, no preciso momento em que Salvador vertia o leite do
fervedor para a sua caneca, o pássaro gritou, num esgar irritadiço:
— Às armas!

A caneca com o leite desfez-se em mil pedaços no chão da cozinha, provocando um barulho estrondoso, e Salvador sentiu uma onda de terror inundar-lhe o corpo. Tal como Doroteia ardilosamente previra, a expressão recordava-lhe a guerra em Moçambique.

— Ora por amor de Deus, Senhor Salvador! Está a sujar-me a cozinha toda! Vamos lá a limpar tudo! Depressa, que quero ir navegar na *net*!

Salvador não conseguiu encontrar palavras que exprimissem a sua revolta. Pálido e trémulo, limpou com a esfregona a zona em que a caneca se partira. De semblante carregado, fitou o papagaio, fitou a dona do papagaio e, em seguida, retirou-se do espaço de cabeça erguida, sem antes comentar:

— Bolas! Você consegue passar mais tempo ligada à rede do que eu! Temos de redefinir horários. Só com uma linha começa a ser impossível!

Nos dias que se seguiram, o papagaio repetia a proeza, e Salvador mergulhava num estado de prostração que metia dó. Doroteia, não contente com o fruto das suas artimanhas, ensinou ao bicho novas deixas e palavrões e rapidamente o repertório do papagaio passou a incluir palavras tais como «parvalhão» ou «cabrão», a última das quais tinha o condão de irritar Salvador mais do que qualquer outra.

VI

Novembro de 2002

Em quinze minutos, Matilde e Manuel chegam ao apartamento da Avenida do Brasil. Matilde gosta de observar que a garagem de Manuel é do século passado. Abre-se o portão com um comando a distância, que nem sempre funciona, e que Manuel adjectiva de «caprichoso», «teimoso» e coisas que tais. Entram com o carro num espaço em que ele se encaixa por puro milagre e descem para a cave, entre rezas e preces, num elevador que geme com desespero e que, de quando em quando, apenas por capricho, encalha por alguns minutos, gerando uma certa ansiedade. Manuel nunca se esquece do dia em que o elevador encalhou a meio do caminho e em que esteve à beira de uma crise de pânico. Tocou o alarme, mas o dito não funcionou ou, se funcionou, ninguém o escutou. Suores frios, mãos geladas, coração a ameaçar saltar do peito, vontade de gritar por socorro, sensação de desmaio e descontrolo. Conhecia cada um destes sintomas dos manuais de psiquiatria. Eram-lhe meticulosamente descritos por alguns dos seus clientes habituais. Mas até esse dia, estava, de facto, longe de os conhecer. Sentia-os pela primeira vez. Procurou fazer o que tinha por hábito ensinar aos outros. Respirou fundo, devagar, pensou em coisas agradáveis. Passado um tempo sem fim, o elevador recomeçou o seu andamento lento. Manuel não sentia o corpo. Deixou-se transportar aos solavancos até à cave. Durante muito tempo não utilizou o elevador. Depois, a pouco e pouco, recorrendo à técnica de dessensibilização sistemática, que praticava com os clientes, e que consiste numa aproximação lenta e progressiva do objecto causador da ansiedade, superou o medo. Contactou serviços especializados para procederem a uma revisão ao mecanismo e ao alarme, e garantiram-lhe que deixaram tudo a funcionar na perfeição. Perfeição plena de solavancos, tremores e gemidos fantasmagóricos. Perfeição relativa. Nunca contou o episódio a ninguém. Nem mesmo a Matilde. E ainda hoje, quando desce com ela no elevador, experimenta uma sensação de ansiedade ligeira. Apesar da sua apreensão, chegam ao seu destino sem problemas de maior. Manuel estaciona o carro no espaço exíguo que corresponde ao 8.º andar. Dentro do outro elevador que parte da cave para os diferentes andares, Matilde observa:

— Manel, Manel, podias viver bem melhor...

— Queres dizer que podia viver sem aquele elevador?

Ela acena afirmativamente com a cabeça.

— Sabes bem que não poderia passar sem ele... — ironiza ele — sabes bem que não poderia viver noutro sítio.

O elevador pára, obediente, no 8.º andar. Saem do elevador e Manuel abre a porta do apartamento, enquanto prossegue nas suas explicações:

— Tu conheces a história e sabes como eu sou um sentimentalista.

Entram em casa, e Matilde atira a mala e o casaco para cima de uma cadeira do *hall*.

— Arrendei este apartamento por uma pechincha, na altura em que vim estudar Medicina para Lisboa. A senhoria era uma velha que vivia no 9.º andar, na companhia de, sem exagero, dezenas de gatos.

— Matilde prossegue a história que conhece de cor, enquanto se recosta num sofá da sala.

— A mulher tinha fama de louca, e do 9.º andar escapavam sons estranhos e algo suspeitos. Arrastava-se pela casa, a rastejar, com uns chinelos em farrapos e, como a construção é antiga e de qualidade questionável, todos os sons produzidos pelos vizinhos operam uma espécie de eco.

Manuel sorri e completa-lhe o exercício narrativo:

— Para além dos sons, só a encontrava no início de cada mês, quando subia ao 9.º andar, para pagar a minha renda. Uma ou outra vez, avistava-a nas escadas, carregando a custo e entre cantilenas de bruxaria, sacos decerto repletos de trastes. Fazia os possíveis e os impossíveis para que não nos cruzássemos, mas, por vezes, era simplesmente inevitável. Dava-se, então, um encontro surrealista. Convencia-me de que estava perante a madrasta da Branca de Neve e esperava, a tremer, pelo momento em que ela me estenderia a famosa maçã vermelha envenenada.

«Mas tal nunca aconteceu! — completa Matilde.

— Apenas por acaso minha cara, apenas por acaso — retorque Manuel, circunspecto.

— Um dia cruzei-me com essa velha, lembras-te?

— É claro que me lembro! Foi num dia em que o elevador não funcionava, e em que subiste as escadas a pé. Foste ao encontro dela no 6.º ou no 7.º andar. Já não me recordo bem. Ias morrendo de susto!

— Manuel solta um esgar repleto de ironia.

— Tenho de reconhecer que a velha era soturna. Lembrava a bruxa daquele conto dos irmãos Grimm... A casinha de chocolate — confessa Matilde.

— A casinha de chocolate! Sim, o nome do conto varia de livro para livro. Por vezes aparece como *Hansel e Gretel* — completa Manuel.

— É uma história assustadora! A bruxa prende os meninos na casinha de chocolate e, a pouco e pouco, engorda o Hansel, com o objectivo de o vir a comer assado. Enquanto isso, a Gretel trabalha para ela como uma escrava. E todos os dias a bruxa pede ao Hansel que lhe estenda um dedo, para ver se ele já engordou.

— Como a bruxa não via bem, o menino estendia-lhe um osso de frango e ela pensava que ele continuava magrinho.

— E não o assava! — conclui Matilde, sorumbática.

Arrepio partilhado.

— As histórias infantis envolvem tanta agressividade! Jogam com os nossos medos mais profundos, como o medo de nos perdermos numa floresta escura e...

— De sermos devorados! — completa Matilde. — Tu, que és psiquiatra, sabes dessas coisas. Eu prefiro não pensar nelas. Quando a minha mãe me contava essa história, eu sentia um calafrio a percorrer-me o corpo. Ela nunca se apercebeu de que a história me inspirava um terror profundo. Ainda hoje, quando me lembro, me sinto profundamente incomodada.

Manuel fita-a, enternecido, e desenha-lhe uma festa doce na cabeça. Está sentado no sofá ao seu lado. Alguns palmos de distância entre os dois. Ela não o olha.

— Apesar de tudo, há histórias piores! Lembras-te daquela dos lenhadores pobres, que não têm com que sustentar os filhos e que os abandonam na floresta? — pergunta Manuel.

— É a história do Pequeno Polegar! O mais novo de sete irmãos ouve o plano dos pais de abandonar os filhos na floresta. Expedito, marca o caminho de regresso a casa, com o auxílio de migalhas de pão.

Há versões mais soturnas, em que eles conseguem voltar a casa por duas vezes, até que, à terceira vez em que os pais os abandonam na floresta, os pássaros comem as migalhas... — Matilde estremece.

— E depois há um papão, que os quer comer... — acrescenta Manuel, entre dentes.

— A história acaba bem. Os meninos voltam a casa, não é?

— Antes disso, o Polegar apanha as botas das sete léguas do papão, e é nomeado Correio oficial do Rei. O que lhe dá imenso dinheiro — observa Manuel, irónico.

— E o mais incrível é que todos voltam a casa. Como se se quisesse voltar à casa de uns pais que teimam em nos abandonar no meio de uma floresta — observa Matilde, sarcástica, esboçando uma careta. — Quando contava esta história ao Martim, omitia sempre a parte em que os meninos eram abandonados pelos pais na floresta. Só quando ele aprendeu a ler, percebeu que os meninos não se tinham propriamente perdido três vezes na floresta.

— Mas, no fundo, é importante que as crianças apreendam os conceitos de bem e de mal — observa Manuel.

— Não necessariamente dessa forma!

— De que forma então?

— A pouco e pouco.

— O teu filho viveu em Moçambique. Não o poupaste à realidade da guerra e da fome, da doença e da morte. Mas teimaste em poupá-lo à crueldade de enredos de contos infantis?! — inquire Manuel, feroz.

Matilde mergulha num silêncio longo. Pensativa. Triste. Manuel ergue-se do sofá e entra na casa de banho, onde prepara um banho quente. Lá fora a chuva cai fortemente. Matilde abre e fecha os armários da cozinha e emite sons que se assemelham a lamentos. De repente, entra na casa de banho, de mãos nas ancas, e anuncia com o ar mais trivial do mundo:

— Não há nada que se coma nesta casa. Vou às compras!

Fecha a porta atrás de si e Manuel, petrificado, imóvel entre a espuma do banho, ouve bater a porta de casa. Ainda a ouve gritar: «Levo o teu brinquedo!» O brinquedo deve ser o *Alfa Romeo*. Por mais anos que Manuel viva, Matilde sempre o surpreenderá. Pensa em como é inacreditável que ela entre assim pela casa de banho dentro, sem sequer se dar ao trabalho de antes bater à porta. Por mero acaso, a banheira estava repleta de espuma. Pensando melhor, ela já o viu nu pelo menos duas vezes. Uma, quando o convenceu a fazer mergulho nas Berlengas e ficou a olhar para ele, hipnotizada, sem desviar o olhar por um segundo, enquanto ele, timidamente, ia tirando a roupinha e envergando o fato de mergulho. Lembra-se de que o observou da forma como alguém contemplaria uma ave local, sem cerimónia ou um mínimo de pudor. Corou e apressou-se a entrar no mar com uma velocidade tal, que se esqueceu de regular a botija do oxigénio. Ia tendo um acidente sério! Uma outra vez, estava ele a tomar duche na casa de Santos, com dois outros colegas, antes de irem para a farra, e ela entrou, disparada, pela casa de banho adentro, com o pretexto de lhes levar gel de banho. Os três nus. Precisamente como no dia em que tinham vindo ao mundo. E ela impávida e serena. A nudez dos outros nunca a atrapalhou. Talvez por ser médica. O facto é que preservava firmemente a sua intimidade. Preservava-a da devassidão do olhar dos homens. O que demonstrava que estava consciente da realidade do corpo, do pudor. Quando há pouco, no consultório, se deitara na *chaise-longue*, puxara a saia para baixo. Bem puxadinha! Vá lá alguém compreender as mulheres!

Manuel, de pijama e roupão firmemente traçado, quando a Matilde chega carregada de sacos de supermercado. Atira as chaves da casa e do carro para cima da consola do *hall* e corre até à cozinha, onde começa a dispor frangos e batatas fritas em duas travessas. Entretanto, Manuel preparou uma salada com uma alface que encontrara, por milagre, ao fundo do frigorífico. Pensa de si para si que felizmente teve tempo de se ligar uns minutos à *net*.

— É que nem azeite cá tens... não sei como é que sobrevives, o que comes... — remexe a salada com força — não te alimentas, por isso andas sempre amarelo, pálido que nem uma vela e magro que nem um espargo.

— Sabes que é raro comer em casa... — desculpa-se ele enquanto transporta as travessas para a mesa da sala, coberta por uma toalha de plástico.

Ela aparece-lhe atrás, de rompante:

— Não como em toalhas de plástico! É que nem sonhes... — Começa a abrir e a fechar as gavetas do louceiro, em busca, provavelmente, de uma toalha de pano. Esboça um ar triunfante quando, finalmente, encontra uma totalmente engelhada, que começa a estender na mesa, com algum desencanto.

— A empregada vem cá quantas horas por semana?

— Todos os dias, três horas por dia — informa ele, com detalhe.

— Era o suficiente para te manter a casa em condições. Uma toalha passada a ferro seria o mínimo dos mínimos! Essa mulher tem uma vida santa!

— Para quem estava tão cansada... dir-se-ia que ressuscitaste!

44

— Fome, meu caro, fome negra! Estou a começar a ficar tonta de fome!

Antes que as descomposturas recomeçassem, iniciaram o repasto. Matilde esfomeada, a devorar o frango.

— Um colega meu costuma comentar que mulheres com apetites alimentares como o teu têm apetites sexuais correspondentes — observa Manuel, muito sério.

Silêncio dela. Entregue ao devorar do frango.

— Em relação a ti não faço a menor ideia se de facto assim é... — insiste Manuel.

Silêncio dela. Um sorriso amarelo a intervalar o exercício de dissecação do frango. Manuel come com pouca vontade. Frango assado era a última coisa que lhe apetecia. É o que come, sempre que janta em casa, sozinho. Há uma churrasqueira ao virar da esquina. Preguiça de confeccionar jantar só para ele. Levanta-se da mesa, transporta o prato para a cozinha e regressa com um semifrio de *kiwi*, que Matilde trouxe. Delicioso! Matilde entrega-se ao saborear do semifrio. Depois chegam os cafés e os bombons de licor a acompanhar. Transportam a louça para a cozinha. Matilde prepara-se para a lavar.

— Nem penses! A empregada serve para quê?

— Mas só vem na segunda-feira... — argumenta Matilde.

— A louça espera! — sentencia Manuel, enquanto atira os restos para o lixo. A observação não tarda:

— Com tantas crianças a morrerem de fome... Odeio quando fazes isso! Punhas o frango num *tupperware*...

— Odeio restos! Se os quiseres levar...

— Se não estivessem já no lixo... — lamuria-se ela, com ar de quem o faria de facto.

Ele encolhe os ombros e coloca um CD dos Madredeus. Acende uma cigarrilha.

— Tenho de trazer uma escova de dentes cá para casa. Não consigo passar sem lavar os dentes depois das refeições — lamuria-se Matilde.

— Tens aí uma nova, se quiseres...

— Onde?

— Na porta de baixo, da direita, do armário da casa de banho.

Dito e feito. Decorridos cinco minutos, Matilde lava os dentes com afinco. Matilde e o terror das cáries! Manuel sorri ao imaginar que ela deve receitar às crianças escovas especiais adaptadas a cada idade e a cada tipo de dentição, pastas sem sabores a nada e imenso flúor. Ela sai da casa de banho a bocejar, tipo hipopótamo.

— Olha lá!... É quase meia-noite. Acho que vou dormir cá.

Ele fita-a, perplexo.

— Só podes estar louca!

— Não, não estou louca! Não sei se te recordas de que não estou com carro e não estou a ver-te com vontade de me levar a casa...

— Ah, podes crer que não! Vou directo para a cama. Mas não penses que dormes cá. Apanhas um táxi e o assunto está resolvido.

— Pega no telefone, disposto a chamar um táxi com urgência.

Ela retira-lhe o auscultador da mão:

— Vou dormir cá. Está decidido! Se não quiseres ficar comigo, vai dormir para minha casa.

— Estás louca? — grita Manuel, em histeria.

— Não! Estou cansada e vou dormir cá!

— Oh, mulher, tu tens de te tratar! E com urgência! — Manuel começa a entrar em pânico. Respira fundo e tenta controlar-se. Para sua salvação, o telefone toca. Atende. Do outro lado da linha, a voz duma miúda com quem saiu na semana anterior. Ela diz-lhe que o ama. Matilde, à frente dele, de mão na cintura.

— Pois, olha, Guidinha, sabes, eu...

— Vou já deitar-me! — grita Matilde, furibunda, sem razão. Mas não sai de junto do telefone.

— Olha, hoje não dá... — sussurra Manuel, deleitado com a situação.

— Não seja por minha causa! — grita Matilde. — Podemos dormir os três — acrescenta com um sorriso irónico, enquanto se aproxima do auscultador para ouvir a voz da tal Guidinha. — Sempre quis experimentar uma *ménage à trois*.

— Não, sim... é claro que te ligo... não, não está cá ninguém! Também gostei muito... — prossegue Manuel, sibilante.

Matilde a agitar o pé direito como faz sempre que está possessa.

— Não, claro que estou sozinho! — afiança Manuel.

Matilde a ameaçar arrancar-lhe o auscultador da mão.

— Claro, és linda!... — prossegue Manuel, bem-disposto.

Matilde vira as costas, agarra na mala e bate a porta com uma força que Manuel lhe desconhecia. Quando desliga o telefone, um sorriso baila-lhe nos lábios. Não por causa da Guidinha, obviamente. A cena de ciúmes de Matilde é prometedora.

VII

Novembro de 2002

Segunda-feira à noite. Matilde chega a casa e empurra duas empadas vegetais do Celeiro, para dentro do microondas. Lê atentamente os ingredientes escritos na embalagem. Mania de médica, a de ler tudo o que ingere! «Farinha de trigo, óleo vegetal, sal, gengibre, cominhos, leite de soja, lombardo, cenoura, algas aramé e tamari». O Martim está a jantar em casa da avó. Enquanto se recosta no sofá da sala e liga o televisor com o telecomando, pensa em como a casa é grande para a sua solidão. Antes de falecer, no bizarro dia de 31 de Dezembro de 1999, data que garantiu a eterna nostalgia das passagens de ano de Matilde, o doutor Bernardo Silva Lapa dedicou algum tempo a algumas remodelações que consistiram, essencialmente, em juntar pequenos compartimentos, assim formando compartimentos maiores. Com a sua morte, Matilde herdou o apartamento e manteve a decoração mais ou menos intacta. Talvez por uma questão de preservação de memórias dos tempos em que tinham sido uma família relativamente feliz. As mesmas telas a óleo nas paredes, as mesmas aguarelas, as cortinas de estopa de linho, as colchas floridas, os móveis de estilo inglês, as peças de antiquário. É curioso que sinta que a casa continua a ser a casa da sua mãe, e não a sua própria casa. Quando adolescente, Matilde nunca ousou ali levar amigos ou namorados. Se o tivesse feito, uma tempestade atingiria a pacatez do lar. O pai era muito crítico em relação aos seus namorados. Matilde chegou a apresentar-lhe um ou dois, enquanto estudante de liceu, mas arrependeu-se amargamente de o ter feito. Ele examinava-os à lupa, quais micróbios perante a lente reveladora de um potente microscópio, e encontrava-lhes, invariavelmente, um defeito incontornável e esmagador, que se sobrepunha a qualquer eventual qualidade que Matilde lhes pudesse encontrar. Consideraria que tal tarefa deveria integrar o imenso rol de tarefas de um pai, que o destino encarregara de ser, simultaneamente, pai e mãe. Cumpria-a na perfeição. A partir dos tempos da faculdade, Matilde raramente levava a casa do pai alguma criatura do sexo masculino. Sempre que o fazia, recordava-se vivamente dos embaraços dos tempos de liceu. As suas relações amorosas eram pontuais e sem significado, de forma que não sentia necessidade de apresentar namorados ao pai. Para além de tudo o mais, Matilde era uma mulher perspicaz. Tinha plena consciência de que o pai adorava Manuel e que teria todo o gosto em que ele viesse a ser seu genro. Manuel tinha sido o seu melhor aluno de sempre. O pai costumava comentar que só lhe dera a nota de vinte valores, porque vinte e um não se podia dar. Para além da admiração que Silva Lapa nutria pelo intelecto de Manuel, estabelecera-se entre ambos um entendimento, cujos pormenores ultrapassavam a compreensão de Matilde. Uma qualquer comunhão de formas de estar na vida, de que não entendia os contornos, uma apetência pelas mesmas tarefas, um partilhar de valores e orientações de vida. Afinal, de acordo com as recentes revelações que Manuel lhe fizera, a amizade de Silva Lapa por ele ultrapassava estes pormenores.

Matilde recorda-se de que o pai os apresentara nas férias grandes que antecederam a sua entrada em Medicina. Fê-lo mesmo antes de se conhecerem as colocações. A nota de dezanove ponto dois valores com que Matilde concorria a Medicina em Santa Maria dava a Bernardo a tranquilidade de saber que a filha entraria. Os investimentos em horas de estudo contínuas e as explicações a Matemática, Biologia e Química durante todo o 12.º ano tinham dado os seus frutos. Apresentou-os num domingo de Agosto de 1981. Matilde ainda se lembra de que era um dia de calor sufocante e de que bebiam limonada gelada na mesa de madeira colocada bem no centro do pequeno jardim das traseiras. Matilde estava sentada na mesa de madeira a fazer um desenho a lápis de cor, por outra coisa não ter para fazer. Mal a campainha da porta tocou, esvaindo-se no seu esgar desafinado, Silva Lapa saltou da cadeira em que lia o *Expresso*, tarefa em que consumia todo o fim-de-semana, e correu até à porta de entrada. Tinha avisado a filha de que a queria bonita. Que iriam receber uma visita muito importante. Matilde desconhecia em absoluto de quem se tratava. Não sabia sequer se se tratava de um homem ou de uma mulher. Estava, porém, demasiado habituada às excentricidades do pai, para se deixar perturbar. Vestira um vestido de linho branco, como poderia ter vestido um outro vestido qualquer. Os dias daquele mês de Julho passavam com um vagar exasperante. Tinha concluído os exames às três disciplinas do 12.º ano em 1.ª época, tinha sabido as notas, tinha-se candidatado a Medicina em Santa Maria e a mais nenhum outro curso e restava-lhe esperar, com a paciência possível, que os resultados das colocações saíssem. Depois da morte de Mary--Anne, Matilde e o pai tinham deixado de passar as férias de Verão fora da capital. Por uma questão de luto. Os amigos desapareciam nos meses de Verão, e Matilde lamentava-se de tédio, consumindo os dias a arrastar-se de compartimento em compartimento, entre a sombra da casa e a luz do jardim. Não levantou os olhos quando o pai retornou ao jardim, acompanhado pela sua aguardada visita. Indiferente, prosseguiu entretida com o seu desenho a lápis de cor. Traços e tracinhos sem fim, numa harmonia sedutora. A voz do pai interrompeu-lhe os traços.

— Minha querida, queria apresentar-te o doutor Manuel!

Matilde ergueu, lentamente, os olhos do papel e fitou Manuel com vagar. Lembra-se de ter achado estranho que um miúdo que aparentava ser pouco mais velho do que ela fosse doutor. Lembra-se de o ter achado simpático. Manuel, imóvel, muito quedo, colocado em sentido ao lado do pai, qual peça de xadrez à espera de uma mão que a mova. Hirto e ligeiramente ruborizado. Simpático e modesto. Cumprimentaram-se com um beijo ligeiro nas faces e Manuel soletrou um «Muito prazer», que Matilde considerou excessivamente pomposo para a sua idade. Os dois homens sentaram-se na mesa, ao lado de Matilde, observando, emudecidos, os seus traços quebrarem o branco da folha de papel. O silêncio da tarde era esmagador. O calor sufocante. Não apetecia fazer nada, nem dizer nada. Silva Lapa serviu limonada a Manuel. Sem lhe perguntar se preferiria qualquer outra coisa. Matilde pintava com vagar. Os dois homens a observar o desenho, como se mais não houvesse que olhar. O guinchar do aspersor a molhar a parca superfície de relva, que se estendia ao fundo do pequeno jardim e alguns vasos disseminados. O som dos lápis de cor a roçar o papel. Matilde impaciente perante o olhar dos dois. A erguer os olhos para averiguar a razão da contemplação. Manuel muito corado. De calor e de embaraço. A soletrar palavras meigas:

— Que jeito que você tem...

Ela a agradecer e a pensar em quantos anos teria ele para falar assim com ela. Vinte, no máximo, talvez vinte e cinco. Doutor? Como poderia ser ele doutor? E por que lhe levaria o pai um rapaz a casa? Sem aviso. Ele que odiava todos os rapazes que ela lhe apresentava. Que lhe tinha feito passar vergonhas sobre vergonhas. O último namorado tinha sido corrido. Literalmente corrido. O pai tinha-os encontrado a trocar beijos húmidos na relva. Na mesma que o aspersor agora aliviava. Uns três meses atrás. O pai pegara no rapaz pelos colarinhos, transportara-o até à porta da rua e fechara a porta com estrondo, depois de lhe gritar:

— Faltas de respeito com a minha filha, não! Que não se atreva a voltar aqui.

E o miúdo, que era tão giro! Desde esse dia nunca mais dera à costa. Depois desse dia tinha sido só estudar, marrar, decorar fórmulas matemáticas, classes e espécies de bichos conhecidos e desconhecidos, empinar fórmulas de química. Tudo para entrar em Medicina. E aturar o pai como professor. Tudo para poder salvar vidas. Era só isso que ela queria: salvar vidas. Salvar miúdas da sua idade de perderem as mães da forma estúpida como ela perdera a sua. Salvar mulheres e crianças. Salvá-las.

E agora ali estava o miúdo a observar o desenho com uma curiosidade desmedida. O miúdo que era a visita do pai. Do pai que nunca gostara de miúdos. E parecia-lhe a ela, estava a parecer-lhe, que o pai o tinha ali trazido para alguma coisa em concreto. Restava saber o quê. A resposta não tardou em dar à tona.

— Sabes, minha filha, aqui o Manel foi meu aluno. O meu melhor aluno, devo dizer-te. Está disposto a emprestar-te os apontamentos. E os apontamentos dele valem ouro! Ouro, percebes? Simplesmente ouro! Quantos caloiros não dariam tudo para ter acesso aos apontamentos do Manel! Na verdade, o nosso Manel ainda não é doutor. Mas está quase. Mais um ano e sai o canudo!

Matilde a prosseguir no desenho. Impávida e serena. A pensar que havia qualquer coisa naquela conversa que não batia certo. Mas para que quereria ela os apontamentos do miúdo? Teria tempo de os tirar. Isso se entrasse em Santa Maria. Será que o pai a pretendia pôr em pleno mês de Agosto a estudar para o primeiro ano em Santa Maria? Como para provar o que dizia, o pai abriu um saco que Manuel ainda tinha debaixo do braço e começou a espalhar cadernos com argolas em espiral em cima da mesa. Matilde, atónita. De boca aberta como um peixe roubado à água. Olhava para os cadernos que iam saindo do saco, olhava para o pai e olhava para Manuel, que esboçava um sorriso tonto e abanava a cabeça para baixo e para cima, qual mecanismo avariado, como comprovativo da verdade das palavras de Silva Lapa.

— Agradece ao Manel, filha, agradece ao Manel este grande favor.
Matilde observou Manuel, em busca de algum sinal de que o pai
delirava, mas Manuel parecia sereno. Corado, mas sereno. À espera do
agradecimento que tardava.

— Eu cá não quero nada disso! — protestou Matilde, enquanto
afastava os cadernos com a mão direita e limpava com a palma da mão
esquerda as gotas de suor que lhe escorriam da testa.

Silva Lapa não insistiu. Colocou de novo os cadernos no saco de
Manuel e esboçou um sorriso conciliador. Era agora óbvio para Matilde que o empréstimo dos apontamentos mais não tinha sido do
que o pretexto de um encontro. Para reforçar as suas suspeitas, o
pai apressou-se a abandonar o jardim, explicando, num tom jocoso,
que ia fazer a sua sesta e que ficassem os dois à-vontade, que ele só
acordaria por volta da hora do jantar. Frisou afincadamente a expressão «hora do jantar». Decerto para deixar a costa livre. Despediu-se de Manuel com um abraço de incentivo e um sorriso tonto e
piscou o olho à filha. A partir desse momento estava lançado o isco
para o que seria, não como pretendido por Silva Lapa, um grande
amor, mas antes para uma grande amizade. Manuel depressa se tornou o melhor amigo de Matilde. Apenas amigo. Não mais do que
isso. E ela acabou por aceitar o empréstimo dos cobiçados apontamentos.

Matilde estremece perante estas recordações. Acaba de devorar as
empadas e chama Martim que acaba de entrar em casa.

— Diz, Mãe...
— Que tal o jantar?
— Foi bom!
— Está na hora de te deitares.

Trocam um beijo e um abraço apertado. Martim desaparece.

— Não te esqueças de lavar os dentes! — grita Matilde da sala.

Zapping com o comando do televisor. Telenovelas em todos os
canais. Matilde apaga o televisor e liga o portátil. Não consegue
ligação à *net*. Irritada, sai para o jardim, de onde se avista uma pequena, e por isso mesmo valiosíssima, franja de Tejo. Contempla o rio.
Apetece-lhe partir para longe num qualquer bote velho ancorado no
cais. A casa, enredada em teias densas de memórias, tem o condão, o
estranho poder de intensificar todos os seus sentimentos de fuga e de
independência. Nesse Outono do ano de 2002, com a queda das
folhas e a debandada das aves migratórias, nesse Outono mais do que
nunca, apetece-lhe partir. Partir para países ainda mais frios e ainda

mais tristes. A luz desse Outono é excessivamente intensa para si, para a dor mansa que lhe envolve a alma. Partir sem destino marcado, partir com as garças, com desprendimento. Largar tudo, também não significa largar grande coisa. Largar o Martim e o tio Salvador. Está convicta de que poderiam perfeitamente sobreviver sem ela. De resto, sente que, em cada dia que passa, lhes faz menos falta, de que, cada um à sua maneira, vão ganhando asinhas ágeis e desenvoltas e de que iniciam voos solitários, trajectos celestes que dispensam a companhia de mães-galinhas ou de sobrinhas-galinhas. Se o Vasco partisse, se voasse, aí sim, o Martim ressentir-se-ia com a ausência da célebre figura paterna, tão amplamente estudada por psiquiatras e afins. Faltar-lhe-ia o eterno companheiro do ténis e do *squash*. Do amigão, do herói. Se o Vasco partisse... Disparate! O Vasco partir. Partir para onde? O Vasco nunca partiria, porque o Vasco é daquelas pessoas que nunca partem. Sentem que estão bem como estão e que nada lhes faz falta. Precisamente o seu oposto. A si, o seu pai faz-lhe falta. Uma falta relativa, diga-se em abono da verdade. O pai, o ilustre Silva Lapa. Oftalmologista prestigiado, Professor Catedrático em Santa Maria, bom médico, professor razoável, péssimo gestor. Apesar de ter fama de endinheirado, por se pavonear pelas avenidas com um desca-potável de cor vermelha, deitando assobios e piropos às meninas e cobiçando as mulheres dos outros, sempre manteve uma relação difí-cil e ambivalente com o vil metal. Para além do *Alfa Romeo Spider 1.6 Cabriolet* vermelho, mantinha o consultório de oftalmologia da Tra-vessa da Glória, transversal à Avenida da Liberdade, apinhado de clientes. Poucos saberiam que o consultório era arrendado. Que a renda era partilhada com um dentista, que tinha o condão de mergu-lhar numa espécie de coma mental os pacientes que se encontravam à espera. Poucos saberiam que a mobília de bilros da sala de espera, austera e negra como as asas de um corvo, tinha sido adquirida, ao desbarato, num qualquer leilão da capital. Nesses tempos, as consul-tas não eram tão bem pagas quanto o são nos dias de hoje, e, a acrescer a esse facto, havia que pagar a mulher da limpeza, as contas da água, da luz e do gás e ainda, e principalmente, o chorudo ordenado da recepcionista, uma ruiva dengosa e ferozmente antipática que recebia um ordenado estranhamente elevado e pago, não em parceria com o dentista, mas exclusivamente por Silva Lapa. Ao ordenado auferido ao final do mês, a ruiva acrescentava ainda as gorjetas extraídas aos clientes, a troco de pequenos favores como, por exemplo, passá-los à frente na lista de espera. Todos estes pormenores foram sendo narra-dos a Matilde pelo tio Salvador. O tio Salvador, que odiava a ruiva dengosa. Sempre que ia ao consultório, o tio Salvador envolvia-se em querelas intermináveis com a ruiva dengosa e ameaçava pô-la na rua num abrir e fechar de olhos. Mas a ruiva permanecia imóvel na sua altivez, articulando os nomes completos dos clientes com uma voz de trovão, movendo-se com um vagar enfadonho e passando os recibos com ar de quem fazia um favor especial, ar igual ao exibido por noventa por cento dos funcionários públicos portugueses que atendem o público. Apesar de não ser propriamente funcionária pública, a maior parte das vezes a ruiva dengosa não se dava ao trabalho de responder às ameaças de Salvador. Foi o tio Salvador quem veio a descobrir, através de um amigo, que, em tempos idos, conhecera a ruiva, que a dita senhora tinha sido prostituta ali mesmo na avenida que se avistava da varanda do consultório. Ao tomar conhecimento da notícia, Salvador sentiu-se como que fulminado por um raio. Apanhou um táxi até ao consultório, lançou à ruiva um olhar de desprezo profundo, entrou abruptamente pelo consultório dentro, praticamente pôs um cliente na rua, fitou o irmão e gritou-lhe com os olhos em chamas:

— Lá por seres viúvo, não quer dizer que ponhas uma puta aqui dentro!

Segundo conta o tio Salvador, perante o olhar incrédulo dos clientes, que esperavam pela sua vez, colocados em transe pelo som da broca do colega dentista, o médico empurrou-o até à porta da rua e disse-lhe, em tom pausado, e com uma calma desadequada:

— Preocupa-te com a tua vida! Se um dia vivesses com a Doroteia, perceberias que é uma excelente pessoa!

Ao que Salvador terá retorquido, com prontidão:

— Preferiria morrer, a viver com essa mulher! Maldito sejas, Bernardo!

Em seguida saiu do consultório e bateu com a porta com uma força desconhecida. Terá sido nesse preciso momento que Silva Lapa terá arquitectado fazê-lo engolir as suas palavras. É neste contexto que se compreende que, ao falecer, o médico tenha deixado, em testamento, à filha, a casa da família, em Santos e alguns dinheiros e ao irmão Salvador e à sua amante Doroteia, a mansão do Restelo. Ninho do pecado extraconjugal, símbolo da sua eterna infidelidade para com a sua esposa, infidelidade enquanto viva e depois de morta. Mansão imensa, decrépita, mas bem situada, perto das embaixadas, e, obviamente, valiosíssima. A casa terá sido adquirida pouco tempo depois de Bernardo ter conhecido Doroteia e de se ter perdido de amores por ela. De ter tomado a decisão de a tirar da má vida. Não

53

decidiu, propriamente, montar-lhe casa, mas antes, por uma questão de originalidade, montar-lhe palácio. Meia Lisboa veio a saber que o afamado doutor tinha montado mansão à sua amante, lá para os lados do Restelo. No testamento estava expresso o desejo do defunto de que cada um só teria direito a metade da casa, na condição de a partilhar com o outro. Convocados para a leitura do testamento, Doroteia e Salvador não queriam acreditar no que os seus ouvidos lhes transmitiam. Injuriaram-se, gaguejaram, gritaram, lamuriaram-se, mas, ainda que por razões diversas, cada um acabou por acatar a decisão testamentária. A Doroteia, que não tinha onde cair morta, dava-lhe jeito residir numa mansão onde pudesse, finalmente, levar a vida de senhora rica a que sempre aspirara. A Salvador, esquizofrénico moderado, repleto de traumas da guerra colonial, com ataques recorrentes, que originavam estadias forçadas no Miguel Bombarda e que dependia exclusivamente da boa vontade dos amigos que o acolhiam em suas casas por espaços de tempo limitados, dava jeito ter, finalmente, um domicílio fixo. Durante muito tempo, Matilde interrogou-se sobre o desenrolar desta história insólita. Pressagiou lutas de morte, discussões acesas, facadas, incêndios; mas o facto é que nenhum dos seus trágicos presságios encontrou concretização. Os dois herdeiros adaptaram-se à convivência sob um mesmo tecto com uma estranha facilidade. Sempre que Matilde visita o tio Salvador, encontra a mansão mergulhada numa azáfama tão densa que é de imediato atravessada pela sensação de que se encontra na casa de uma família vulgar. Os dois habitantes movem-se, de compartimento em compartimento, do espaço interior para o exterior e vice-versa, a uma cadência que faz com que a casa pareça animada por um qualquer mecanismo de total eficiência. E, no entanto, uma análise mais detalhada das duas personagens sugere que absolutamente nada as une num qualquer destino comum e que os seus passados constituem trajectórias diversas, sem pontos de intercepção. Doroteia e Salvador não trocam entre si mais palavras do que as estritamente necessárias ao dia-a-dia. *Baudelaire*, o gato siamês, de idade desconhecida, vagueia pelos espaços com uma serenidade inusitada. *Maurice*, o canário amarelo, observa de modo estranhamente compenetrado o desfile de gestos. *Margueritte*, a iguana, é cega de nascença e tece movimentos vagarosos e repetitivos. Para além destes animais pertencentes a Doroteia e que já residiam na casa antes da morte do doutor Silva Lapa, Salvador decidiu implantar nas traseiras do jardim, nada mais, nada menos, do que um galinheiro. Recheou o galinheiro de galinhas, inquietas e tagarelas, sem nunca se preocupar em atribuir-lhes nomes. Ao meio da manhã, abre a porta do galinheiro e permite que deambulem, freneticamente, por entre os vasos dos gerânios, das begónias de tons vivos e dos fetos luxuriantes. O galo, por ser único e, logo, a personagem principal da capoeira, foi baptizado *Cristovão Colombo*. *Cristovão Colombo* assume com mestria o papel de líder masculino do seu vasto harém. Opulento, sobrealimentado e orgulhoso, exerce um domínio tirânico sobre a restante criação. Apesar de tudo, as poucas galinhas poedeiras, que se distinguem das demais pelos respectivos rabinhos brancos levantados, revelam-se subversivas e pouco receptivas a promiscuidades fáceis. Como que convictas da ideia de que existem para pôr ovos e não para conviver. Salvador dedica muito do seu tempo livre à criação e recita-lhes, diariamente, poemas de Rimbaud e lê-lhes textos de Sthendal. Há muito tempo que está reformado do seu ingrato ofício de filósofo incompreendido, obrigado a leccionar aulas de filosofia no ensino secundário por puras razões de sobrevivência económica. As lições prosseguem, dia após dia, de Platão, Aristóteles e Sócrates a Kierkegaard e Bergson, passando por Descartes, Kant e Hegel. Mas os discípulos são agora outros: as aves que, apesar da sua natureza animal, se revelam mais atentas do que muitos dos seus antigos alunos, totalmente desinteressados por questões do tipo: «Quem sou eu?» ou «Só sei que nada sei.» Apesar da interacção com as aves se revelar algo limitada, Salvador encontra nestas criaturas uma companhia para os seus longos momentos de solidão, agora partilhada e que, apesar de tudo, o acesso à *net* tornou mais suportável.

VIII

Novembro de 2002

Naquela tarde de Novembro, em que as folhas sucumbem, amare-
lecidas, sobre as ruas e calçadas de Lisboa, no aconchego requintado da
sua casa de antiguidades deserta, Duarte descreve, assim, a *Butterfly* o
seu amor infinito e eterno por uma mulher italiana de nome Laura:
— Sabes, amei-a profundamente! E, de repente, perdi-a para sempre. No dia em que faleceu, naquele dia de nevoeiro cerrado, iniciei a
minha grande viagem, de todas a mais importante e, decerto, a mais
difícil. Peguei em tudo o que tinha na alma, na amargura, na raiva, na
mágoa, e parti. Parti para dentro de mim mesmo. Abandonei este
mundo e penetrei num mundo de trevas. E tu, é assim o sofrimento
que sentes?
— Não, apesar de tudo, é diferente! Apesar de tudo, penso que
ainda tenho um sorriso escrito algures na alma e queria falar-te dele,
em palavras de mil tons. Podem levar-me tudo, *Angel*. Podem levar-
-me as canetas e os lápis de cor, os papéis e os livros, mas não vou
deixar de esboçar um sorriso. Tenho os sonhos, *Angel*, e, nos meus
sonhos, arde fogo dentro de mim e sinto. O Sol está diferente, as
árvores são verdes, as flores dançam e as suas pétalas preenchem o
mundo de cor.
— Há muito tempo que perdi os sonhos. Fico feliz por partilhares
os teus sonhos comigo. Gostaria que me falasses dos teus passeios pela
praia. Gosto muito quando me falas dos teus passeios pela praia.
Fala-me deles! Sabes... eu nunca vou à praia.
— Limito-me a sentar-me à beira-mar, de pés enterrados na areia
doirada, olhos mergulhados no azul do mar. Por vezes levo um livro

56

e por ali fico, horas a fio, pensando sem saber ao certo em quê, naquele mundo só meu. Depois, a noite traz o frio e levanto-me com preguiça, caminho ao longo da areia, apanho conchas, acaricio estrelas-do-mar e escuto o eco do mar nos búzios cor de sol. Salto ao eixo nos barcos ensonados e acredita que, por vezes, acabo por adormecer, embalada pelos sons da noite.

— As tuas palavras despertam em mim recordações tão longínquas, enterradas algures na minha memória. Quando era criança, tínhamos uma casa na praia. Recordo-me dela toda branca, deitada nas dunas, fitando, serena, o mar verde e o céu azul. Iluminava-se nas noites, engravidava de risos e vozes e ficava, no fim, só minha, nos seus silêncios e sombras, nos seus segredos e medos. Dos dias e das noites, dos sóis e das luas, dos risos e das lágrimas, ficou a nostalgia e a saudade.

— Venderam a casa?

— Infelizmente! A casa de anti... o negócio do meu pai (Duarte emendou «casa de antiguidades» para «negócio». Não é suposto que especifique pormenores da sua vida) nem sempre ia bem... Sinto a falta dessa casa como se de uma pessoa se tratasse. Como se de Laura se tratasse. A última vez em que a beijei... fui despedir-me dela ao quarto. Estava deitada sobre a cama. Só queria ter o poder de aprisionar aquele momento, de forma que, de um momento passasse a um estado, que ela continuasse, assim, naquele quarto, que os contornos de cada objecto se mantivessem na penumbra, que a janela permanecesse aberta sobre as cores e sons da noite, que a chuva não parasse e que os lençóis de cetim me envolvessem. Que persistisse o bater dos minutos no relógio de pé alto e que nunca me abandonasse aquela súbita sensação de paz.

— ...

— Passámos noites deliciosas! Ela persistia em tocar o piano da minha avó, ancorando o tempo, até à exaustão da nossa insónia. Ouvia-a molhar a música, com o seu chorar de criança, via-a pálida e trémula, as mãos esguias a contorcerem-se no espaço, irreconhecível na sua momentânea fragilidade. Pensei, de forma quase perversa, que nunca poderia ser tão minha. Ela escrevia-me poemas. Infantis e ternos como ela própria. Queres que te escreva um?

— Gostava muito...

— Num castelo medieval
Estava uma princesinha doente
Disseram os curandeiros do reino

Que necessitava de repousar
Deitada em seu leito doirado
Mas a princesinha era rabina
E não queria assim ficar
Queria correr e saltar
Pelos campos verdes
Apanhar amoras selvagens
Rasgar os vestidos de seda
Por entre os roseirais
Para a distrair
Ordenou o rei seu pai chamar
Os trovadores do reino
As fadas madrinhas
Os bobos da corte
Pássaros de penas de ouro
Duendes de brincar
Bonecas de porcelana
Fantoches e arlequins
Mas a princesinha não sorria
Até que um dia
Da planície sem fim
Surgiu
Em alvo corcel
Um príncipe encantado
Com todo o seu amor
E a princesinha sorriu
Prometeu o príncipe voltar
Todos os dias
Àquela mesma hora
A partir desse dia
Já a princesinha mais não queria
Ficar boa
Com medo de que seu príncipe
A mais não viesse
Encantar.

— Encantador! A Laura devia ser um ser muito especial!
— ... (Os olhos de Duarte, marejados de lágrimas, os dedos imóveis, suspensos na borda do teclado).
— Desculpa-me, *Angel*. Tenho mesmo de ir. Chamam-me... desculpa...

— Desculpa-me tu, ser assim...

— Assim, como?

— Um pouco lamechas...

— Não és nada lamechas! És um querido! Olha, falamos amanhã?

— Claro!

No ecrã do «icq» a flor junto ao nome de Butterfly muda de cor. De verde para vermelho. Significa que Butterfly saiu do programa. Por vezes Duarte gostaria que ela não desaparecesse tão depressa. Sem deixar rasto. No ecrã brilham as palavras que encerram a promessa de um novo encontro para o dia seguinte: «Olha, falamos amanhã?» Amanhã?! Muito tempo! Tempo de mais! O sentido dos dias resume--se àqueles breves minutos em que se encontra, de uma forma virtual, com uma mulher de nome Butterfly. De quem nada sabe. Nem mesmo o nome. Pela primeira vez pensa que começa a sentir-se vagamente entusiasmado com aquela mulher. Depois repreende-se a si próprio. Entusiasmado, porquê, por quem, se nunca sequer vislumbrou o rosto daquela mulher, se nunca a tocou, se nada sabe sobre ela?! Segredos terríveis poderão estar enterrados por detrás daquela identidade cibernaútica. Invade-o um desejo súbito e impertinente de conhecer Butterfly. Mas como? Se lho expressar, ela decerto voará para sempre. Anonimato é o desejado por quem acede àquela chat-room. Disparate de ideia! Desliga o computador e solta um suspiro profundo. Butterfly estará algures em Portugal. É a única coisa que sabe. Poderá estar no Norte, no Centro ou no Sul, nos Açores ou na Madeira. Numa aldeia, numa vila ou numa cidade. Poderá viver numa casa grande, numa barraca, num apartamento minúsculo, no alto da Serra da Estrela, ou num barco ancorado na Marina de Lagos, ou numa outra marina qualquer. Poderá ser branca ou negra, quem sabe se não cigana. Poderá ser gorda ou magra, ter cabelos de qualquer cor, olhos azuis, verdes, castanhos, pretos, cinzentos ou de misturas destas cores. Poderá ser cega e ter um teclado em braille. Será que a tecnologia o permitiria? Poderá ter uma qualquer deficiência. Ser surda, por exemplo. Coxa, muda, mutilada, louca. Existe uma panóplia interminável de possibilidades. Porém, a única coisa que sabe é que ela é encantadora. Ou saberá antes fazer-se passar por encantadora? Será que alguém não encantador, se poderá fazer passar por encantador? Fala-se tanto dos encontros malogrados na net. Será Butterfly um homem? Existe alguma probabilidade de que isso aconteça? Recorda-se do filme de Neil Jordan Jogo de Lágrimas, que tanto o impressionou. Se equívocos existem na vida real, quando as pessoas se conhecem de facto, quanto mais na net! Consulta o relógio. Dezanove horas. Hora de fechar a loja. Saldo do dia: um cliente sorumbático que regateou o preço de um vaso de porcelana como se estivesse em plena Feira da Ladra. Os clientes já não são o que eram! As palavras que lhe preenchem o pensamento são as de um velho. Um velho de quarenta e um anos, enfeitiçado por um ser virtual de nome borboleta, em português. Estranhos os tempos que correm! O que nos trará o futuro? Clonagem e extermínio. Caos e desolação. Como nos piores pesadelos. Como em *Uma Casa na Escuridão* do dotado José Luís Peixoto. Extermínio e amputação. Peste e morte. Sem a luz de Laura.

IX

Novembro de 2002

Matilde visita a campa do seu pai. Fá-lo todos os meses. Não pode evitar que o seu pensamento mergulhe no passado.

O pai de Matilde conheceu aquela que viria a ser sua mulher, a 18 de Maio de 1961, na Escócia, mais concretamente na Universidade de Edimburgo, por ocasião de um colóquio de Medicina que teve lugar na cidade escocesa. Mary-Anne não era médica nem estudante de Medicina. Estudava literatura comparada. Terá sido amor à primeira vista. A primeira vez que Bernardo avistou Mary-Anne, estava ela deitada sobre a relva, apenas uma entre várias outras raparigas. Ao observar o grupo, Bernardo terá ficado perturbado com a imagem surrealista de Mary-Anne. Branca como a neve, cabelos compridos tom de mel, dispersos pelas costas, um vestido de musselina aos malmequeres de tons quentes. Bernardo sentiu que contemplava não uma mulher, mas uma pintura, uma obra de arte. O riso de Mary-Anne era sussurrante e cristalino, os gestos delicados e vagos, o olhar enigmático. Como que hipnotizado, Bernardo aproximou-se do grupo até ficar a dois passos de Mary-Anne. As jovens devolveram-lhe o olhar, com ironia, e todas, excepto Mary-Anne, soltaram risos divertidos. Mary-Anne não riu. Apenas lhe devolveu um olhar intenso e algo sobrenatural. Entre risinhos, segredos e cochichos, as colegas foram-se afastando, uma a uma, deixando Mary-Anne sozinha, subitamente sentada na relva, a apenas dois passos de Bernardo que, por sua vez, se sentou ao seu lado e a interrogou, sedutor, no seu melhor inglês: *You aren't real, are you?*

Mary-Anne brindou-o com um sorriso de ninfa, sem prever ainda que, alguns meses mais tarde, trocaria a sua belíssima terra Natal por um país de nome Portugal cuja única referência que detinha era Fernando Pessoa. No ano em que conheceu Mary-Anne, Bernardo regressou à Escócia por diversas ocasiões, pediu a mão de Mary-Anne aos seus pais, agricultores remediados de Stirling, localidade situada a alguns quilómetros de Edimburgo. O noivado envolveu uma cerimónia familiar simples e despretensiosa e, num abrir e fechar de olhos, Bernardo estava noivo. A relação amorosa prosseguiria por correspondência, adocicada por cartas longas e plenas de declarações de amor de Bernardo, às quais Mary-Anne correspondia com recato e diplomacia, como convinha às meninas da altura. Os dois apaixonados casaram em Stirling, numa cerimónia simples e delicada, em que apenas estiveram presentes os pais de Mary-Anne, familiares e amigos íntimos da família. Os pais de Bernardo tinham falecido quando Bernardo tinha a idade de dezasseis anos, vitimados por uma pneumonia aguda (facto que, segundo confissão do próprio, teria despertado o seu interesse por Medicina), pelo que Bernardo se fez acompanhar na cerimónia pelo seu único irmão: Salvador Silva Lapa, que Bernardo convidou para padrinho de casamento. Antes de partirem para a cerimónia, Bernardo recomendou ao irmão, vezes sem conta, com ansiedade e temor, que procurasse ser discreto e parecer normal. Salvador terá tido uma certa dificuldade em seguir os conselhos do irmão, terá bebido de mais e dançado com todas as senhoras presentes, dirigindo--lhes piropos inconsequentes. Consta que terá entoado o hino nacional do seu país, que terá chegado ao baile montado num corcel branco, que terá entornado champanhe por cima da sogra do irmão, e que, quando extenuado das suas próprias tontarias, terá sucumbido no centro da pista de dança. No entanto, estes pequenos percalços, não impediram que o casamento se realizasse e que, no dia seguinte, após uma noite de lua-de-mel discreta, passada na casa dos pais da noiva, os três apanhassem o avião para Lisboa.

A casa de Santos, herdada por Bernardo dos seus pais, os quais por sua vez a tinham herdado dos seus, tinha sido deixada em testamento aos seus dois filhos: Bernardo, o mais velho, e Salvador, o delfim. Nos primeiros tempos, os dois irmãos tinham convivido juntos numa relativa harmonia, frequentemente intercortada pelas crises de loucura de Salvador. No entanto, as manias de grandeza de Salvador, a necessidade que tinha de se exibir bem vestido e de ofertar prendas caras às suas inúmeras «amigas», impeliram-no a propor a Bernardo que lhe comprasse a sua metade da casa. A ideia de viver longe da loucura do irmão seduziu Bernardo, mas a sua consciência e o seu amor fraternal extremo levaram-no a manifestar a preocupação relativamente ao seu futuro. Salvador argumentou que não teria falta de local onde dormir e que, com o dinheiro correspondente a metade da casa e algumas economias que tinha amealhado, ficaria em condições de adquirir uma casa só para si. Nestas circunstâncias, Bernardo solicitou a uma imobiliária uma avaliação da casa e prontificou-se a entregar ao irmão metade do valor estimado, valor ao qual a sua natureza ditou que acrescentasse mais de cem contos de reis, quantia que, na altura, não era de todo desprezável. Salvador fez as malas, juntou os seus parcos haveres, as suas roupas elegantes e as suas centenas de livros de filosofia, lidos, relidos e anotados e refugiou-se em casa dos três ou quatro amigos que tinham por cruz aturar-lhe as manias. Dedicou-se de corpo e alma à ingrata tarefa de dar cabo de tudo quanto recebera do irmão. Comprou um carro de *playboy*, enco-mendou quatro fatos da melhor fazenda no alfaiate mais caro da capital e gastou o que lhe sobrou no jogo, na bebida, e nas prostitu-tas. Ao fim de quatro ou cinco meses não tinha onde cair morto, mas nunca ousou pedir ao irmão que o acolhesse na casa de Santos. Era demasiado orgulhoso para o fazer. Sempre que Bernardo lhe pergun-tava se estava tudo bem, respondia invariavelmente:

— Oh, mano, melhor seria impossível!

Assim sendo, quando Bernardo regressou da Escócia com a sua jovem esposa, os dois foram viver para a casa de Santos, e Salvador recorreu a favores de amigos para encontrar onde pernoitar. Os pri-meiros tempos de casamento decorreram dentro da normalidade. Ber-nardo consumia os dias entre o hospital e o consultório ou a estudar para o doutoramento, e Mary-Anne entretinha-se com os livros dos poetas franceses e com os bordados, sendo a casa gerida por Marinela, a governanta de sempre da família de Bernardo. Alguns meses após o casamento, Mary-Anne engravidou. A sua saúde era débil, sofria de asma e de enxaquecas recorrentes e Bernardo chegou a recear que a gravidez não chegasse a bom termo. No entanto, tal como num conto de fadas, a 24 de Outubro de 1962, nasceu uma bela menina com 3,5 quilos de peso e 49 centímetros de comprimento, a que os pais deram o nome de Matilde. A alegria na casa de Santos foi enorme e, segundo consta, o tio Salvador parecia de todos o mais embevecido com a criança. Os avós maternos de Matilde vieram a Portugal ver a neta, tendo vindo a falecer alguns meses mais tarde, vitimados por escarla-tina. A morte dos pais agravou o estado de saúde de Mary-Anne. Passava muito tempo deitada, na penumbra do seu quarto e, quando se levantava, cansava-se com grande facilidade. Apesar de tudo, en-contrava forças para entoar à pequena Matilde canções de embalar escocesas, para lhe contar contos tradicionais da Escócia e para lhe falar, sempre em escocês, do mundo lá de fora, pelo que, rapidamente, Matilde se tornou uma criança bilingue. De todas as histórias com que a mãe a envolvia, era das de fantasmas que Matilde mais gostava e, de entre todas as histórias de fantasmas, a do monstro de Lochness era a sua preferida. Matilde exultava de felicidade com a história e pedia que a mãe a repetisse vezes sem conta. Não é, pois, de admirar que, anos mais tarde, quando Martim nasceu e quando completou uma idade que lhe permitia compreender, Matilde lhe tenha contado a história do monstro de Lochness, recorrendo às mesmas palavras (ainda que em português e não em inglês) com que a tinha ouvido vezes sem conta. Martim adorava a história. Na verdade, de todas as histórias que a mãe lhe contava, era a sua preferida. A bem da verdade, segundo rezava a história, o monstro de Lochness era, não propriamente um monstro, mas antes uma monstra de nome Nessie. Nessie terá vivido em paz até ao ano de 1933, ano em que uma estrada foi construída ao longo de um extremo do lago. O barulho das obras era terrível e, assustada, Nessie saiu do lago para procurar fugir do movimento. Foi precisamente nessa altura que o senhor e a senhora Spicer, de Londres, a terão visto. A notícia da existência de uma monstra no lago difundiu-se pelo mundo. Pessoas de todo o lado apareciam a procurar vê-la. Os que afirmavam tê-la visto descreviam-na de formas horripilantes. Um jornal enviou um caçador afamado para apanhar Nessie. Para causar sensação, recorrendo a uma perna de hipopótamo embalsamada, o caçador simulou as pegadas do monstro e fotografias das suas pegadas apareceram em todos os jornais da época. Um dia, um cirurgião conseguiu tirar uma foto de Nessie. Apesar de tremida, decerto graças ao terror do homem, essa terá sido a melhor foto de Nessie. Organizaram-se expedições de busca e procuraram caçá-la, recorrendo aos mais diversos e criativos artefactos. Ninguém o conseguiu. Actualmente, a história de Nessie está um pouco esquecida. Alguns sugerem que Nessie já não terá mais idade para brincar ao jogo das escondidas, outros especulam que terá, entretanto, morrido. O livro continha desenhos maravilhosos, pinturas a aguarelas e ainda hoje Martim o guarda religiosamente na sua estante. Nessie era representada como uma simpática monstrinha verde, comprida e de corpo serpenteante, com duas antenas minúsculas plantadas no alto da sua cabeça de forma ovalada.

Mary-Anne era uma mulher doce e calma, de olhar ausente mas plenamente nostálgico. Nunca se soube a razão de tão densa tristeza. O marido costumava comentar com os amigos mais chegados que

Mary-Anne tinha saudades da Escócia e que não se adaptava ao clima de Portugal. O calor estimulava as enxaquecas e as crises de asma eram frequentes e de uma intensidade assustadora. Muitas eram as noites em que Mary-Anne acordava com crises de falta de ar e em que, entre gritos sufocados, se levantava da cama e se arrastava pelos corredores da casa, em sobressalto. O rosto azulado e contorcido de dor, os olhos enevoados, a voz seca. Dias havia em que Matilde acordava com os seus passos arrastados e a encontrava, enquanto ela desenhava no ar gestos suplicantes e infrutíferos de que regressasse ao quarto. O marido fitava Matilde com um ar tranquilizador, transportava a esposa ao colo até ao carro, a criada entrava em pânico e Matilde ali ficava, sem saber o que fazer, sem ninguém que lhe soubesse sossegar os ânimos. Regressavam na manhã seguinte, e tudo voltava à normalidade, como se nada se tivesse, de facto, passado, e, numa tentativa falhada de esconjuração, o assunto não era mencionado nos tempos mais próximos. Um dia, porém, chegou, em que Mary-Anne não regressou. Matilde esperou os pais até de manhã. Encostada à parede do corredor. Enquanto a criada dormia. Agarrada com força ao seu ursinho de peluche. Cantando-lhe canções de embalar para que ele não sentisse medo. Para que ele não sentisse o medo que a invadia. Nem medo do escuro, nem medo de nada. Mas a mãe não voltou. Matilde foi invadida pelo pressentimento aterrador de que algo de mal lhe acontecera. Entrou numa crise de pânico a que a criada assistiu, impotente. Esta foi a primeira de várias crises de pânico que foi vivendo ao longo da sua vida adulta. Quando Bernardo regressou a casa, era meio-dia em ponto. Exausto, desfeito, com um ar tenebroso. Pegou na mãozinha branca de Matilde, na que teimosamente agarrava o urso de peluche, para que ele não sentisse medo. Fez-lhe uma festa lenta no cabelo. Apertou-a contra o seu peito, com uma força que a sufocou. Matilde desatou num pranto baixinho, que foi subindo de tom e se tornou violento. Que se converteu em gritos dilacerados de dor. Sem que palavras fossem necessárias. Percebeu tudo, assim, só de sentir o abraço do pai, a dor no seu rosto, o sofrimento espelhado nos seus olhos. Vestida de negro no funeral. Uma menina muito branca, pálida, tolhida num vestido de veludo azul-escuro. Uma menina de doze anos. Agarrada ao seu urso. Bem agarrada para que ele não sentisse medo. Sem verter uma lágrima. A pequena e doce Matilde. Perdida nos seus doze anos de idade. «Morreu de pneumonia», explicou-lhe o pai. Mas Matilde não parecia entender o significado da palavra «pneumonia». Não queria entender.

Desde muito cedo Matilde tinha sido invadida por uma sensação de incapacidade perante as crises da mãe. Esta revolta por não saber o que fazer em situações de perigo de morte terá motivado o seu interesse precoce pela medicina e, em particular, por trabalhar nas urgências de um hospital, a sua necessidade vital de salvar vidas, por nada ter podido fazer para salvar a vida da pessoa que mais amava no mundo.

Não era só o débil estado de saúde da mãe que conferia notas de diversidade à vida de Matilde. Muitos dias havia em que o pai não dormia em casa. Nesses dias, limitava-se a telefonar e a avisar a mulher de que não iria jantar. Sem mais pormenores ou desculpas escusadas. Nesses tempos, Matilde não compreendia o significado desses episódios mais ou menos recorrentes. A mãe segredava-lhe:

— Hoje o papá não vem dormir a casa!

Com o tempo, à frase passou a seguir-se uma pergunta de indaga-ção da razão:

— Porquê? — queria Matilde saber.

— Passa a noite no hospital — respondia a mãe, em voz baixinha e trémula.

Esta frase curta e proferida num tom casual tinha o condão de desencadear em Matilde uma sensação de enorme bem-estar. O pai não dormir em casa, significava que poderia dormir na enorme e confortável cama dos pais, seu local dilecto, enorme, fofa, confortável, aconchegante, quente. Nessas noites, mal podia disfarçar o seu desejo de que as duas se recolhessem ao quarto e de que dessem início aos rituais mágicos que dormir na cama da mãe envolvia. Em primeiro lugar, envergavam as camisas de dormir, enfeitadas de bordados deli-cados e escovavam, com escovas de prata com as respectivas iniciais gravadas: «M-A» e «M», os cabelos compridos, cem vezes, para ficarem brilhantes, a conselho da avó materna. A mãe dava, então, início a um longo ritual de desmaquilhagem e de espalhar pelo rosto o creme reparador de noite, ritual que ainda hoje Matilde repete, passo a passo, sem nunca se enganar na sequência. Seguia-lhe cada gesto com a atenção do primeiro dia e, resignada, limitava-se a espa-lhar pelo rosto um creme *Nívea* hidratante, na expectativa de que depressa chegasse o tempo em que pudesse usar outros cremes. Às vinte e uma horas em ponto, a Marinela batia à porta e o puxador de latão, com a forma de cabeça de ganso, rodava, deixando antever o seu vulto rechonchudo e o seu sorriso cúmplice. Depositava, com cuida-do, o tabuleiro de madeira, coberto com paninhos de renda, em cima da mesinha de canto e retirava-se, em pezinhos de lã, com um doce «boa-noite». Sentavam-se, então, mãe e filha, nas duas poltronas de veludo *cerise*, que ladeavam a mesinha, e preparavam-se, com uma certa cerimónia e solenidade exacerbadas, para bebericar os chás de ervas. Mary-Anne, como qualquer escocesa típica, bebia chá em vários momentos do dia. Os sabores dos chás variavam de dia para dia, introduzindo no ritual uma subtil nota de variação. Tília, hortelã--pimenta, camomila, malva, entre outros sabores, invariavelmente servidos em chávenas de porcelana de fundo azul-escuro e pétalas de malmequeres doirados. Um torrão de açúcar para a mãe e dois para Matilde, gulosa desde o início dos tempos. A acompanhar o chá, um prato de cristal de *Murano* repleto de biscoitos de amêndoa, de doces de gila ou de enormes fatias de bolos caseiros, confeccionados no próprio dia, expressamente para o acontecimento. Ainda hoje Matilde cumpre, religiosamente, o ritual do chá, independentemente do local em que se encontre. Para o hospital levou uma cafeteira eléctrica, chávenas e pires, cubos de açúcar e caixinhas com chás de diferentes sabores. Toda a ala de pediatria adoptou o ritual, e é frequente que médicos e enfermeiras transportem chávenas de sala em sala. Após o saborear do chá, as bocas delicadamente secas nos guardanapos de linho fino, ornamentados de rendas de bilros e a escovagem dos dentes, em movimentos planeados ao milímetro, de acordo com as regras vigentes: «Movimentos ritmados para cima e para baixo», «Não esquecer nenhum dente» ou «bochechar duas vezes». E Matilde seguia as regras, sem discutir, sem ousar questionar a sapiência das pequenas ordens da mãe, ordens que lhe davam a certeza de o mundo ser um lugar ordenado e definido. Este ritual de escovagem dos dentes terá, decerto, determinado a sua obsessão por este assunto e os cuidados que tem a este nível com os seus pequenos doentes. Subia, então, para a cama, que nos primeiros tempos se lhe afigurava muito, muito alta e que, mais tarde, julgou passar a ter uma altura mais consonante com o seu tamanho. Chinelos de veludo juntos, no tapete ao lado da cama, juntos para mais facilmente se encontrarem à noite, caso surgisse a necessidade de ir até à casa de banho contígua ao quarto, juntos porque a lógica da arrumação dos objectos do mundo assim o exigia. Trepava, pois, para a cama, a pequena Matilde, em alvoroço interior. Sensação sublime, de que se recorda com a nitidez de um acontecimento de ontem. O colchão exibia uma consistência perfeita, nem demasiado duro nem demasiado mole, moldando-se, na perfeição, aos contornos do seu corpo, como se com base neles tivesse sido feito. Os lençóis de linho ou algodão brancos, bordados, de folhos ou rendas, cobriam-na com a doçura do *chantilly* espalhado sobre a massa tenra de um bolo acabado de sair do forno. Sentia-se a flutuar em nuvens de algodão doce. No Inverno, os edredões quentes e confortáveis envolviam-na e protegiam-na do cair da chuva lá fora. A mãe lia-lhe livros. Os seus livros de contos escoceses ou poemas de Pessoa, Espanca ou Pablo Neruda. Em escocês ou em inglês. Shakespeare. Sabe de cor muitos versos, de cor como se tivesse nascido a sabê-los. Ainda hoje estranha que as outras pessoas os não saibam como ela os sabe. A mãe soletrava as palavras, a sua voz baixa e doce, aveludada, que lhe acariciava os sentidos e a envolvia numa onda de prazer tépido e de infindo bem-estar. Ainda hoje, quando cerra as pálpebras, escuta os sussurros das suas sílabas acariciarem os seus ouvidos e, em asas de filigrana de oiro, transportarem-na para mundos outros, em que o céu é transparente e a terra forrada a papoilas vermelhas, ondulantes sob um sol de Marte. Mary-Anne adormecia levemente, com os livros seguros nas mãos esguias e alvas, em que se recortavam veias muito azuis, quais riachos serpenteando por entre mantos de neve. Então, com muito cuidado, Matilde retirava-lhe o livro de entre os dedos, marcava a página com um marcador com miosótis bordado a matiz, depositava-lhe um beijo na testa, como se de um anjo se tratasse. Cobria-lhe o corpo com os lençóis e adormecia bem perto ao calor que exalava do seu corpo alvo e esguio, em tudo semelhante ao de uma princesa das neves das histórias de encantar. O seu respirar leve e doce, como o de uma criança, transportava-a, lentamente, para o reino dos sonhos cor-de-rosa, para o reino em que a mãe teimava habitar, mesmo quando acordada.

X

Novembro de 2002

Abre o portão da garagem com o comando a distância. Entrada vagarosa. O motor da *Honda* adormece. Sai da mota, retira o capacete, fecha a porta da garagem com o auxílio do comando a distância e dirige-se, em silêncio, aos elevadores da garagem. Introduz a chave que chama o elevador. Entra no elevador. Espaçoso e confortável. Climatizado e com música. Vigésimo quinto andar. Abre-se a porta do elevador. Abre a porta do apartamento. Lá dentro, o ambiente também climatizado. Com o tempo e com o dinheiro, Vasco foi-se habituando a um certo conforto de que não prescindiria. Ar condicionado e música ambiente em todas as divisões, televisor de ecrã de plasma de 43 polegadas, electrodomésticos topo de gama, móveis da Arquitectónica, telas de Cargaleiro, Vieira da Silva, Paula Rêgo e Júlio Pomar em pacífica coabitação. Não tem a mínima apetência por decoração, mas recorreu aos serviços preciosos de uma decoradora que rapidamente se converteu em namorada. Chamava-se Rita, tratava-a por Ritinha. Saturado de mulheres a atravessarem a sua vida a velocidade de cruzeiro. Tantas, tantas mulheres! E afinal, o que ficou depois de tantas mulheres? Será que algum dia amou alguém de verdade? Sempre que se coloca essa questão, um nome desenha-se, iluminado a néon, no seu pensamento: «Matilde». Apaixonou-se perdidamente por ela há tantos anos, que lhes perdeu a conta. Não era mais bonita do que tantas outras mulheres, mas o coração tem razões que a razão desconhece. Havia qualquer coisa nela que mexeu com ele. O mesmo terá acontecido com ela, pressupõe. Naquela caixa do supermercado de Santos. Há tantos anos... Mal a vislumbrou, percebeu que ela iria mudar a sua vida.

O embaraço dela, as faces coradas, o ar desesperado de uma náufraga, a procurar moedas no fundo da carteira. Nem quis acreditar que morasse ali mesmo ao seu lado, há tantos anos que ele ali vivia e nunca antes a tinha visto. Afinal, Santos não é um bairro grande! As pessoas estão sempre a tropeçar umas nas outras. Tinha um vestido *cerise*, que lhe conferia um ar sobrenatural, em conjugação com aquele cabelo da cor do das Deusas do Olimpo e aqueles olhos escuros profundos como a noite. O mar das Caraíbas, em dias de tempestade, será daquele tom. Talvez por isso mesmo lá tenha ido tantas vezes... ao mar das Caraíbas, nas férias, para mergulhar nos olhos dela. Depois de se apaixonar pela imagem dela, apaixonou-se perdidamente pela alma, por aquela mania insana de ajudar as pessoas, por aquela obsessão em transformar o mundo num lugar melhor, pelos seus tiques e manias. Acreditou que, ao lado dela, com ela e graças a ela também ele se transformaria em alguém melhor, menos centrado nos cifrões. Mas isso nunca veio a acontecer. Quando ela meteu na cabeça a ideia de ser cooperante em África, a ideia assustou-o, gelou-o. Nunca se entregaria a uma causa humanitária, qualquer que ela fosse. Pensou que a sua mulher se deveria preocupar mais com ele e com o filho recém-nascido, do que com as criancinhas de África, que nunca antes tinha visto na vida. O miúdo era pequeno. Demasiado pequeno para acompanhar os voos da mãe. Concluiu, apressadamente, que se tratava de uma irresponsabilidade da parte dela. Mais tarde, ela falou-lhe, entusiasmada, os olhos negros a brilharem muito, de outros projectos. Ele que sempre lhe procurou cortar as asas. Sempre que ela avançava para o voo, ele cortava-lhe as asas na descolagem. Zás! Como se de uma tesoura se tratasse. A eterna justificação era o miúdo. Sempre o miúdo. Quando a verdadeira razão sempre foi ele. Ele e a sua necessidade dela, a sua dependência dela, a sua eterna paixão por ela. Matilde! Tantos enganos e tantos desenganos. Na verdade, nunca lhe terá conseguido cortar as asas. É certo que tentou. Muitas vezes. Ah, como tentou! Com que empenho e com que determinação! Mas ela nunca deixou. Matilde! Matilde tem asas de ouro, Matilde, asas de ouro bordadas a fios de seda. Preserva-as intactas. Os sonhos nunca abandonaram os seus pensamentos, nunca deixaram de os povoar. Apesar de ela fazer de conta que se resignava, que aceitava as limitações que ele lhe impunha. «Não gostava que fosses..., preferia se ficasses hoje em casa...» Se se tivessem conhecido hoje tudo teria sido diferente, ele teria sido diferente. Hoje ele sabe que uma mulher como Matilde não se prende com uma corda, que uma mulher como Matilde escapa, por entre os dedos, como poeira de sol. Vasco não sabe por que é que se separaram ou, na verdade, sabe tão bem que nem quer pensar. Lembra-se desse dia como se fosse hoje: 30 de Setembro de 1993. Ele ainda estava a dormir. A dormir levemente. Sentiu o corpo dela deitar-se ao lado do seu. Pressentiu o olhar dela, muito escuro, a contemplá-lo com vagar, a pousar nele. Um arrepio ligeiro percorreu-lhe o corpo todo até à ponta dos pés. A janela do quarto estava aberta, de par em par, sobre os prédios da frente e sobre a rua. Escutava-se o sussurrar de cigarras perdidas e era possível aspirar a fragância dos jasmins que Matilde plantara num vaso da marquise contígua ao quarto. Vasco sentiu estar emerso num sonho, atravessou-o a sensação de se encontrar no claustro de uma abadia. O recolhimento e o odor húmido e denso de uma abadia. Abriu os olhos devagar, a medo. Matilde tinha os óculos de tartaruga na ponta do nariz. Mantinha-os depois de ler, sempre que lhe queria dizer algo de muito sério. As pupilas dilatadas e diáfanas. Vislumbrou-lhe um ar algo estrangulado, que lhe deixou na garganta um sabor amargo a papel de música. Deitada de lado, voltada para ele, sustentada na cama pelo cotovelo direito. Vestida para sair. O seu corpo exuberante exalava aquele aroma a limão, *chantilly* e morango que ele lhe descobria em contactos mais íntimos. O porte de gazela assustada, mas nitidamente determinada.

— Vou para África! — sussurrou-lhe então, com a naturalidade de quem diz «vou à mercearia comprar um pacote de açúcar».

Pensou estar a delirar. Passou a mão pela testa para verificar se estava quente. Estava apenas gelada.

— Levo o Martim comigo!

Pestanejou. Matilde escolhia os momentos mais inéditos para proferir as sentenças mais invulgares.

— Vais para África... — repetiu devagar, como quem se esforça por extrair um sentido de cada uma das palavras e compor um sentido mais vasto.

— E levo o Martim! — repetiu ela, como quem ajuda um retardado a compreender algo de muito básico.

Vasco sentiu que mergulhava num abismo profundo. Há muito tempo que, de forma mais ou menos explícita, ela ameaçava deixá-lo. Ele nunca quisera perceber as insinuações. Ameaçava partir para esse continente, que exercia sobre ela um fascínio estranho, fascínio para ele totalmente incompreensível. Sentiu um vento agreste a açoitar-lhe a alma, um vento que há muito temia, mas que só agora sentia no corpo nu e indefeso. Um vento áspero e duro. Implacável. E as palavras dela, cortantes, por entre o vento:

— Poderás ver o Martim sempre que queiras. É teu filho...

Qualquer coisa vaga, indelével, o levou a ter a noção de que nada do que dissesse ou fizesse poderia alterar o rumo daquela história. Que o destino estava traçado. Ela tinha-o traçado em definitivo, a tira-linhas, com rigor e exactidão milimétricos, sem possibilidade de alteração. Invadiu-o a convicção de que Matilde, a princesa Matilde, nada e criada numa casa de classe média-alta, não se habituaria aos hábitos espartanos de África, ao sofrimento, à doença, à degradação da existência humana, ao espectáculo da miséria a que o homem sabia chegar.

— Voltarei depressa a Portugal. Não te preocupes... — ouviu-a sussurrar, o tom de voz de uma mãe que promete voltar ao quarto do filho angustiado, caso o pesadelo ressurja a meio da noite.

Ele segurou-lhe a mão, com força, numa réstia de esperança.

— Por favor, Vasco... — suplicou ela. A voz embaraçada e tensa. Determinada. — Adeus.

Saiu do quarto. A porta fechou-se atrás do seu vulto. O cheiro a limão, a *chantilly* e a morango subsistiu no quarto, a sufocá-lo de saudade. Como um inválido, ergueu-se da cama e debruçou-se na janela do quarto. Lá fora, no banco de trás de um táxi, estavam os dois seres mais importantes da sua vida. Hoje sabe que poderia ter tido mil e uma outras reacções, mas que aquela foi, de facto, a mais sensata. Poderia ter agarrado no filho impedindo-o de partir. Só teria agravado as coisas. Todos teriam sofrido mais. Matilde partiu sem despedidas. Sem que ele se despedisse do filho. E Vasco está-lhe grato por isso.

O processo de divórcio foi moroso. Amargurado e dilacerado de dor, Vasco decidiu optar por um divórcio litigioso. Dificultar a vida à mulher que amava. Matilde arranjou um exímio procurador que lhe tratava dos papéis. Apesar do litígio, durante o primeiro ano em que viveu em África, Matilde escreveu com frequência a Vasco. Todas as semanas ou de quinze em quinze dias. Assuntos práticos. Fotografias do Martim. A brincar, a correr, por entre meninos pretos, despidos, de cabelos emaranhados. Meninos da sua idade. Meninos com fome e sem brinquedos. Cartas e desenhos dele. Saudades. Muitas saudades. Desenhos cheios de corações gordos e vermelhos e de declarações de amor: «Amo-te, Papá. Tenho muitas saudades tuas. Muitos beijinhos e xi-corações do tamanho do Mundo.» Segundo Matilde, o texto era, em exclusivo, da autoria de Martim. Ela limitava-se a escrever as palavras que ele lhe ditava. Desenhos com casas de tecto de colmo e meninos pretos a dançarem em redor de fogueiras. E a mamã em todos os desenhos a dar picas com seringas muito grandes, excessivamente grandes em relação aos corpos pequenos e magros dos meninos. A mamã a tratar de todos eles, a sarar as feridas, a curar as febres, as diarreias, as infecções. A tratar de todos os meninos, excepto de Vasco. Do menino grande, do menino que abandonara em Lisboa, na cama do quarto com vista para uma rua decrépita, com vista sobre a rua que Matilde não queria ver ao acordar.

Vieram visitá-lo a Lisboa, no Natal. Máscaras tribais, estatuetas de pau preto e uma panóplia de outros objectos sem qualquer interesse. Matilde gostava de adquirir artesanato local. Era uma mania antiga e que tinha o condão de o irritar. Na lua-de-mel passada na Tailândia, Matilde tinha comprado tudo o que havia para comprar. Robes de imitação de seda, facas de madeira amarela ornamentadas com desenhos de cobras, malas de plástico *Louis Vuitton*, quadros de palha com dragões, *T-shirts* exibindo a palavra «Puket», nome da ilha paradisíaca em que os seus corpos tantas vezes se tinham enrolado, fotografias em molduras, dela com uma cobra de dois metros enrolada em redor do seu pescoço (pensar que ainda tinha pago para lhe porem a cobra ao pescoço), vídeos locais, exibindo o mercado fluvial, estatuetas de budas deitados, de budas sentados e de budas em cócoras, de todos os tamanhos e para todos os gostos, estatuetas em madeira e tantas outras coisas que o enlouqueciam e lhe baralhavam os sentidos. Pagaram pelo excesso de bagagem, mas ela aceitou o facto com bom humor. Era o preço a pagar por levar todas aquelas relíquias para casa. Durante todas as férias de Verão, Matilde tinha exibido as *T-shirts* de Puket, os relógios de imitação e as malas de plástico *Louis Vuitton* pelos corredores do hospital, com o olhar ainda perdido nos encantos da Tailândia distante. Distribuiu prendas por todos os colegas. Um dia em que o carro dela ficou na oficina a fazer a revisão, Vasco foi buscá-la ao hospital e verificou, incrédulo, que por debaixo das batas brancas, mais de metade do pessoal usava *T-shirts* de Puket e que, nos pulsos, exibia os últimos modelos falsificados das dezenas de relógios que Matilde teimara em trazer. Quando, nas férias do ano seguinte, conseguiram arranjar dinheiro para ir passar três dias a Paris, Matilde comprou, ainda antes de subir à Torre Eiffel, dezenas de Torres Eiffel em metal a indianos pouco convincentes, *naperons* com os monumentos da capital Luz e brincos com Torres Eiffel e Museus do Louvre pendurados. A vez seguinte em que Vasco foi buscar Matilde ao hospital, quando o carro dela estava de novo na oficina, por o ter deixado descair contra um poste, teve oportunidade de verificar a profusão de objectos de origem francesa que ornamentavam toda a ala de pediatria, e descobriu torres Eiffel e Museus do Louvre, saltitantes, nas orelhas de algumas enfermeiras. Dir-se-ia que toda a ala de pediatria celebrava activamente a cultura francesa ou uma semana cultural francesa. Vasco estremecia com o mau gosto da mulher, mas não deixava de se encantar com as suas extravagâncias, bizarrias e, principalmente, com a sua generosidade para todos quantos a rodeavam.

Nesse Natal, Martim ficou em casa do pai durante alguns dias. Para matarem saudades. Foram ao Amoreiras. Vasco propôs ao filho:

— Vamos comprar-te tudo o que quiseres. Não há limite.

Martim fitou-o muito sério, do alto dos seus três anos e retorquiu:

— Os meus amigos de Moçambique não têm um brinquedo que seja. Os que a mamã levou quando fomos para lá não deram para todos. Só se quiseres comprar brinquedos para eles. Eu tenho mais do que suficientes...

Vasco estremeceu. Percebeu que o filho nunca seria como ele. Nesse dia decidiu fazer a sua contribuição para a causa de Matilde. Não sem um laivo de interesse em impressioná-la. Gastou cem contos em brinquedos. Martim só quis um livro para ele. No dia em que regressaram a Moçambique, Vasco transportou os seus sacos até ao avião.

— Está aqui o meu contributo para os teus miúdos...

Matilde agradeceu, comovida. Despediram-se com um beijo leve. Um beijo de amigos. Sem tréguas no processo de divórcio litigioso. Na Páscoa, Vasco mal viu Matilde. Apenas o tempo de levar o Martim a casa dele. Pálida e cansada. Soube mais coisas dela pelas palavras do filho. Que estava mais magra e que parecia mais triste, mas que se sentia abençoada (não terá sido exactamente esta a palavra que Martim usou) por poder ajudar outras crianças, por as poder segurar à vida. Tinha muito orgulho na mãe.

Durante o primeiro ano em que Matilde viveu em África, Vasco viveu como um sonâmbulo. Casa-trabalho, trabalho-casa. A nova vinda de Matilde a Portugal, por ocasião das férias de Verão, foi como o soar de uma aldraba no silêncio da noite. Estava, de facto, mais magra, o que só lhe ficava bem, dado que tinha, invariavelmente, peso em excesso, e com um olhar vago. Exalava uma luz de criatura abençoada e divina, que confundia os pensamentos de Vasco. Nunca lhe pediu que voltasse. Era demasiado orgulhoso para o fazer. De resto, ela não acederia ao seu pedido.

Um dia, Vasco combinou com Matilde ir buscar Martim à casa de Santos, a casa dos pais dela, para onde Matilde levara as suas coisas de mulher separada. Partiria com o filho para a República Dominicana. Por duas semanas. Enquanto esperava que ela desse banho a Martim, abriu o diário de Matilde, esquecido em cima da mesa da sala. Nunca antes o tinha feito, mas não conseguiu controlar a sua curiosidade. Abriu uma página ao acaso. Lia-se assim:

Por vezes choro
Sem saber ao certo a razão
Sou
Sem que saiba quem
Quero
Já tendo o que desejo
Gosto
Sem que ame
Afirmo convicta
Numa dúvida que me consome
Prossigo
Sem que me mova
Construo-me
Na via da dissolução
Sou tão completa
Sem que jamais me chegue a completar
Profunda é a noite em que moro
Obscura a ânsia que me consome
Na minha voz há sonho
Silêncios longos
Em que exausta me descubro
Acendo velas de pensamento
Pensantes na noite sem fim
E caminho por areais desertos
Em busca de um qualquer trilho
Sou de areia
Construo-me e desfaço-me
Sou de água
Vou e venho
Sou areia fina de ouro
Ou grossa feita grão de sal

A água continuava a correr na banheira, infundindo-lhe uma sensação de tranquilidade. Encheu-se de coragem e abriu o livro na última página e leu:

Só quero ser Julieta
Fazer de ti o meu Romeu
E viver um grande amor

O texto não continuava. Teria sido interrompido pelo banho de Martim. Era frequente Matilde esquecer-se das horas e interromper as tarefas a meio, quando se apercebia de que era mais tarde do que pensava. Ter-se-á apercebido de que eram dezanove horas e de que Vasco estaria a chegar para ir buscar o filho, de acordo com o combinado. Quando lhe abrira a porta, não se teria lembrado de que o diário estava aberto no centro da mesa da sala, correndo o sério risco de deixar escapar os segredos que guardava no seu interior. As palavras que leu deixaram-no inquieto. Pensou que Matilde poderia estar apaixonada. Depois, a ideia peregrina de que ela ainda poderia amá-lo atravessou-lhe o espírito. Aventurou-se a mergulhar no pensamento de que aquelas palavras eram para ele e de que ela teria deliberadamente deixado o diário aberto para que ele lesse o que ela sentia. O som de passos apressados no corredor fê-lo pousar apressadamente o diário. Um Martim bem cheiroso correu para ele e abraçou-o. Em seguida, a figura da mãe recortou-se na ombreira da porta da sala. Uma pequena mala na mão.

— Espero que se divirtam muito!

Vestia uma saia amarela e uma camisola em *crochet* cor-de-rosa, salpicada de borboletas garridas. Vasco esboçou um sorriso comovido. Só Matilde se podia dar ao luxo de vestir assim e de ser a mulher mais bela do mundo, ainda mais bela, precisamente, por ousar vestir-se assim. Querida Matilde! Que desejo de a abraçar! Martim correu para a mãe e despediu-se com um abraço apertado seguido de:

— Sonhos cor-de-rosa às risquinhas azul-claras. Telefona-me, sim?

— Para ti também, meu amor. Com muitos aviõezinhos a esvoaçarem pelo meio. É claro que te telefono! Tem juízo e porta-te bem. Não chateies o papá!

Matilde deu um beijo a Vasco. Na face. Mais quente do que o habitual, pensou ele. Talvez por ser Verão. Talvez apenas mais quente na sua imaginação.

XI

Novembro de 2002

Os primeiros tempos de partilha da mansão do Restelo foram tempos difíceis e desgastantes para os dois moradores. Os dias consumiam-se entre jogos de esconde-esconde e de implacável faz-de-conta. Frases azedas, acusações mútuas, olhares tingidos de ódio e desdém, discussões viscerais. Seria impossível a dois seres humanos, por mais teimosos e casmurros que fossem, como era, de resto, o caso dos dois moradores, sobreviverem desse modo *ad eternum*. Com o rodar dos meses, as animosidades foram encontrando uma qualquer espécie de tranquilidade estratégica e converteram-se num silêncio sepulcral, aqui e ali salpicado por uma ou outra insinuação menos simpática, por um ou outro comentário venenoso. Salvador consumia os seus dias deambulando pelo jardim, de cigarro pendente nos lábios, sussurrando pragas a meia voz, comunicando com os seus galináceos de estimação, lendo e relendo os filósofos clássicos, rabiscando folhas brancas de papel grosso, dormindo sestas de três horas após o almoço ou recebendo para o jantar o seu amigo Silvestre, homossexual bizarro, amizade construída a partir de muitos dias de convivência amigável no Hospital Miguel Bombarda, aquando de internamentos simultâneos. Para além destas actividades de fundo, que lhe preenchiam o quotidiano vazio, recebia, de quando em quando, a visita apressada da sua sobrinha Matilde, fazia compras semanais num minimercado de esquina no Restelo onde já todos lhe conheciam as manias e abastecia-se, uma vez por mês, mais precisamente, na segunda quarta-feira de cada mês, de folhas grossas de papel branco, de frascos de tinta permanente preta e de cigarros, numa pequena tabacaria em Belém, altura em que aproveitava para saborear dois pastéis na célebre «Pastéis de Belém». Saboreava-os repletos de açúcar e de canela, ficava invariavelmente com as pontas do bigode sujas, comprava, em seguida, o *Público* no quiosque verde-garrafa do outro lado d'«Os Pastéis de Belém», rosnava com os condutores apressados que não paravam para o deixar atravessar a passadeira e ia lendo o jornal enquanto caminhava pelo agradável Jardim de Belém. Salvador gostava de manter uma certa rotina, a qual lhe serenava a existência. Nesses dias, nunca se esquecia de levar, no bolso interior do casaco, um pequeno saco de milho para distribuir pelos pombos. Gastava meia hora absorto nesta actividade e conhecia todos os *habitués* do jardim, os quais cumprimentava com um austero baixar de cabeça. Ao meio-dia em ponto, nem meio minuto a mais, nem meio minuto a menos, erguia-se do banco de pedra talhada e iniciava o percurso de regresso a casa. Este ritual tinha lugar, independentemente do estado do tempo, e, consoante chovesse ou fizesse sol, assim Salvador levava ou não consigo o seu guarda-chuva preto, com duas varetas partidas, fruto de uma ventania que o apanhara desprevenido seis anos atrás. Ao passar defronte dos Jerónimos, perdia alguns minutos a contemplar a exemplar arquitectura manuelina, trocava uma vénia reverencial com um arrumador de carros que palmilhava o estacionamento da ala norte do Centro Cultural de Belém e, sem mais percalços e em passo certo e firme, regressava ao aconchego da sua mansão. Era então meio-dia e meia hora. Meio-dia e meia hora em ponto. O carteiro passava, habitualmente, ao meio-dia, pelo que, nesse dia de Novembro, Salvador abriu a caixa do correio. No fundo da caixa de metal verde-garrafa apenas encontrou uma carta destinada a Doroteia oriunda do seu «clube de bruxaria». Poderia ter sido simpático e levá-la para dentro, poupando a Doroteia o trabalho de ir ver o correio, mas não o fez. Entrou pela porta da cozinha, pousou as suas compras em cima da mesa da copa, lavou e relavou, cuidadosamente, as mãos no lava-louças antigo de pedra, abriu a sua porta do frigorífico duplo, cuja compra pelos dois fora o resultado de uma discussão de dois longos meses, e deu início à confecção do seu almoço. Peixe cozido acompanhado por uma grande quantidade de vegetais e tudo bem regado por azeite finamente aromatizado. Para acompanhar o repasto, um belo copo de vinho tinto. Nesse dia, tinha no frigorífico uma suculenta dourada, que tivera o cuidado de retirar do congelador no dia anterior. Saboreá-la-ia acompanhada de brócolos e de duas cenouras cozidas. Salvador sempre vivera sozinho e sempre fizera questão de cuidar da sua dieta. Evitava fritos e refogados e procurava manter-se na linha, para o caso de, como confessava a Matilde, uma rapariga bonita lhe surgir no caminho e o desencaminhar. Depois do prato principal, era raro que comesse fruta. Não gostava de acumular calorias, o que não impedia que exibisse uma barriguinha, apesar de tudo pouco proeminente, que advinha mais da idade e dos seus hábitos sedentários, do que da ingestão de calorias em excesso. Tomava um descafeinado feito com um terço de chávena de água bem quente, sem sombra de açúcar ou adoçante, seguido de um vinho do Porto ou de outro digestivo. Nesse dia era, pois, dia de dourada cozida acompanhada de brócolos e de duas longas cenouras cozidas. Doroteia, tal como era habitual a essa hora do dia, andava de volta do seu próprio almoço, de forma que era frequente que, de quando em quando, os dois se cruzassem ou que os seus corpos se tocassem de raspão. Noutros tempos, tais acontecimentos teriam sido acompanhados de insultos e reprimendas, do elevar das vozes e de ameaças físicas. Nos dias de hoje, tudo se processava com total naturalidade, a naturalidade com que convivem os casais que partilharam juntos toda uma vida. Com a diferença óbvia de que Salvador e Doroteia não constituíam um casal e que não trocavam nenhuma palavra, além das estritamente imprescindíveis a que ambos conseguissem preparar os seus almoços e se despachassem, com a brevidade possível, do incómodo de se verem. Reinava, pois, uma espécie de acordo tácito, que facilitava em muito a execução das tarefas de cada um. Nesse dia, enquanto Salvador cozinhava os brócolos como habitualmente, apenas com um pouco de água no fundo da panela, para que ficassem com consistência e não excessivamente moles e sem vitaminas, como costumava explicar a Matilde, Doroteia interrompeu a sua azáfama, com a frase inesperada:

— Encontrei uma meia sua de cor vermelha no fundo da máquina de roupa que lavei esta manhã. Escusado será dizer que me tingiu a roupa toda, que, para cúmulo, era uma máquina de roupa interior clara.

Salvador olhou-a de lado, enquanto deitava alho, que tinha previamente moído para o interior da panela de esmalte em que cozia a dourada e onde já tinha colocado cebola, um ramo de salsa, azeite e uma pitada de sal, atendendo aos elevados valores da sua tensão arterial.

— Quando foi a última vez que lavou a sua roupa? — insistiu Doroteia, enquanto, a não mais de cinco centímetros de distância do corpo de Salvador, revirava os pastéis de bacalhau na frigideira.

Salvador olhou-a de lado. Os seus sentidos eram invadidos pelo aroma intenso dos pastéis de bacalhau, pelo odor mais ténue da sua própria dourada, que começava a levantar fervura, depois de acrescentados os condimentos, e pelo perfume de Doroteia, intenso e envolvente. Do canto do seu olho esquerdo, Salvador conseguia vislumbrar o roupão de Doroteia algo entreaberto e um pedaço de seio que se atrevia a despontar para a claridade que advinha do lume. Sentiu-se inquieto. Sempre que o seu corpo se aproximava do de Doroteia para lá dos limites do socialmente aconselhado, isto teimava em acontecer, ainda que se recusasse a admiti-lo perante si mesmo.

Doroteia mudou um pouco a sua posição e fitou-o de frente, a meio palmo dele, a mão direita na anca e a outra a virar e a revirar os pastéis, que, na perspectiva de Salvador, ultrapassavam as marcas do dourado e deveriam começar a ser retirados do lume e dispostos em papel de cozinha absorvente. Salvador despejara já todo o alho que tinha na tábua de madeira para o interior da panela, onde agora fervilhava a dourada, e entregava-se agora, de corpo e alma, à tarefa de mexer os brócolos e as duas cenouras com a colher de pau, tarefa, de resto, perfeitamente dispensável. Fazia-o com intensidade e com o mero objectivo de afastar o pensamento da sensação de calor que o envolvia, do perfume forte e da recordação da pele quente do braço esquerdo de Doroteia, em que, inadvertidamente, roçara duas vezes nos últimos dez minutos. Doroteia tornou a olhá-lo fixamente, e ele mexia e remexia os brócolos, mais parecendo pretender confeccionar um qualquer tipo invulgar de esparregado.

Não a olhava, mas conhecia de cor a sua expressão quando estava aborrecida. A sua testa ficava semeada de pequenas rugas ao longo de todo o seu comprimento e o canto esquerdo da boca, retorcido. «Ela está a querer guerra... mas eu não lha vou dar», pensou de si para si. Doroteia começava a denotar sinais de impaciência ante a aparente serenidade de Salvador.

— Então, Doutor Salvador... — adorava utilizar a expressão «Doutor Salvador». — O que tem a dizer em sua defesa?

Salvador parou de remexer os brócolos e desligou o lume. Tirou um prato de louça branca de um armário e, socorrendo-se de uma escumadeira, colocou nele, cuidadosamente, a dourada meia desfeita envolta em fios de salsa e a estranha papa de brócolos e cenoura, resultante do seu constante remexer com a colher de pau. Numa calma estudada, transportou o prato até ao seu lado da mesa da copa, regou-o com o azeite, que sempre deixava em cima da toalha de plástico às flores, cujo comprimento demarcava o seu espaço na longa mesa, encheu um copo com vinho, que também sempre ficava em cima da mesa (excepto nos dias em que uma garrafa acabava e seguia para o lixo), sentou-se à mesa e, em gesto espalhafatoso, qual criança pequena, trilhou o guardanapo de pano na gola da camisa. Doroteia exasperou-se com a sua calma e com a ausência de resposta, mas controlou a raiva e prosseguiu nas tarefas, acabando por também ela se ir sentar no seu lado da mesa, milimetricamente demarcado por uma toalha bordada de linho branco. Iniciou a deglutição dos pastéis de bacalhau, do arroz de grelos e da sua salada, tudo acompanhado por vinho branco, que preferia ao tinto, independentemente do teor do prato do dia. Este era um ritual diário a que ninguém de fora assistia. Se, nesse mesmo dia, alguém se encontrasse na zona da cozinha e olhasse em direcção à zona da copa, veria uma mesa comprida de carvalho maciço, separada em duas zonas por um longo recipiente de estanho recheado de altas orquídeas de tom arroxeado, flores deliberadamente altas para facilitar a demarcação dos dois territórios. Do lado esquerdo da linha da fronteira (para quem olhasse da cozinha), poderia observar-se Doroteia entregue ao consumo do seu almoço sobre a toalha branca de linho, finamente bordada por ela própria. Enquanto comiam, num silêncio apenas perturbado pelo mastigar da comida na boca de cada um, Salvador pensava em como seria possível que a sua meia vermelha, que sabia possuir e que procurara, desenfreadamente, por entre as ervas próximas ao estendal, quando, dois dias antes, tinha posto a roupa a secar, poderia ter tingido a roupa interior de cor clara de Doroteia, se, tanto quanto era do seu conhecimento, ela enchia os estendais de roupa interior de cores garridas, vermelha, roxa, lilás, alaranjada e, se nunca lhe tinha visto (no estendal, entenda-se), um par que fosse de cuecas brancas ou beges ou de uma cor similar. Quem pensava ela que estaria a enganar? Quantas e quantas horas não passara ele a analisar, escopofilicamente, cada peça de roupa interior estendida na corda da roupa? Cada pormenor de renda, cada laço de veludo, cada decote, cada conjugação de tecidos. Peças sempre em rendas caras, peças de luxo, coquetes e tentadoras, sugerindo mil e um devaneios. Peças reveladoras de pecado e luxúria, que, confabulava ele, lhe teriam sido oferecidas envoltas em caixas de veludo, em sinal de apreço ou, porventura, em troca de pequenos favores sexuais. Coabitar dia e noite com uma ex-prostituta não era fácil! Ele sabia-o melhor do que ninguém. Aquelas peças decerto valeriam fortunas e representariam, sem dúvida, o maior tesouro daquela mulher de cinquenta e seis anos, prostituta reformada, como ele costumava comentar com o seu amigo *gay*, Silvestre, que ria até às lágrimas com as suas histórias sobre Doroteia. O que Salvador não tencionava contar a Silvestre era que as peças de *lingerie* daquela mulher lhe preenchiam os sonhos e que, por vezes, acordava a meio da noite, com o corpo a fervilhar de desejo. Era em tudo isto que Salvador matutava enquanto trincava a sua dourada, enquanto bebia o seu copo de vinho e enquanto saboreava o seu descafeinado e bebericava o seu licor de noz. Entretanto, Doroteia levantara-se da mesa e lavava a sua louça. Enebriado pelos seus pensamentos pecaminosos, Salvador não pôde evitar um olhar demorado pelo corpo de Doroteia. Doroteia, apesar dos seus cinquenta e seis anos, era uma mulher atraente. Salvador teria preferido partilhar aquele espaço com uma mulher bem menos apelativa. Um metro e sessenta e cinco de altura, setenta quilos de peso, peito saliente e altivo, ancas largas, ventre redondo, a figura típica da mulher mediterrânica. Olhos castanho-claros, cabelo outrora castanho-acinzentado e agora pintado de um tom escarlate, que acentuava o seu rosto devasso. Os seus olhos eram intensos, acesos, lúcidos, vibrantes, provocadores e teriam, num passado não muito distante, incendiado o desejo em muitos, muitos homens, em milhares de homens, de acordo com as especulações de Salvador. A boca era vermelha, carnuda, tentadora, sempre pronta para lançar uma provocação ou para um comentário de escárnio. Gostava de pronunciar palavras ordinárias, da mesma forma como Salvador imaginava que outrora teria gostado de se entregar a outras actividades ainda menos nobres. Boca rubra e carnuda, simbolizando volúpia, apetite pelos prazeres da mesa e pelos prazeres da cama. O nariz arrebitado, polvilhado de sardas, irrequieto, sempre a contorcer-se em jeito de troça, e a levantar-se em espasmos de sarcasmo mal contido. O pescoço de Doroteia era largo, não fosse ela uma típica nativa de Touro, nascida aos dezassete dias do mês de Maria. Os braços rechonchudos desaguavam numas mãos pequenas e delgadas, hábeis e sedutoras. Tinham sido as mãos que primeiro teriam atraído o olhar de Salvador, pela sua gestualidade imparável, pelos seus movimentos sinuosos, pela sua textura estranhamente suave para a idade da mulher que as possuía. Apesar de Doroteia passar a maior parte dos dias de *robe* largo e comprido, Salvador tivera oportunidade de se aperceber da curva delicada das suas pernas bem torneadas e bem mais esbeltas do que a zona do tronco. Os pés eram pequenos como os de uma chinesa e dir-se-ia que meticulosamente esculpidos a cinzel, pelo mais genial dos escultores divinos. Salvador vislumbrara-os de relance, numa ocasião feliz em que surpreendera Doroteia deitada numa espreguiçadeira do jardim. Eram duas horas da tarde e Doroteia estaria, decerto, convencida de que Salvador estaria mergulhado na sua sesta habitual. Mas Salvador fora invadido por um sonho erótico com Doroteia, no qual fazia amor com ela, de forma selvagem, ambos mergulhados num canteiro de tulipas, num dos vários canteiros a que Doroteia dedicava horas da sua vida. Salvador acordara perturbado pelo sonho, irado com o seu inconsciente por se ter permitido tê-lo e, pior do que tudo, recordava-se dele com exactidão. Ficou petrificado quando, ao virar da esquina que o conduzia às traseiras da casa, deparou com Doroteia, estendida na cadeira de jardim, de madeira, os pés descalços a apanharem o sol quente que se fazia sentir. Salvador estacou na esquina da casa, sentiu uma onda de calor crescer dentro de si e, qual adolescente que descobre o desejo, sentiu-se desfalecer. Sentia claramente uma erecção por debaixo da sua roupa, e esse facto, para além de ser cada dia mais raro, agora que atingira a idade de cinquenta e oito anos, causava-lhe indignação por ser originado por quem era. Doroteia, ignorando as consequências do seu pacato e solitário banho de sol, puxou lentamente o *soutien* para baixo e Salvador anteviu a auréola acastanhada de um dos seus inacreditáveis volumosos seios. Permaneceram assim meia hora. Doroteia, embalada pelo chilrear dos pássaros e afagada pelo calor do sol, cantarolava uma canção francesa que Salvador reconheceu como sendo «Ne me quittes pas», de Jacques Brel. Numa outra ocasião, ter-se-ia surpreendido com a erudição de Doroteia, mas, naquele precioso momento, apenas se deixava surpreender pela magnificência do corpo robusto e torneado daquela mulher, que o presenteava com algo que o mergulhava em estado de delírio. Ao final de meia hora, Doroteia ergueu-se da espreguiçadeira, fitou o sol, esboçou um sorriso e fechava o *robe* quando, pelo canto do olho, vislumbrou Salvador. Olhou-o em cheio. Ao contrário do que se poderia esperar, o seu olhar não continha ódio. Apenas uma ligeira surpresa, acompanhada por um estremecimento do corpo, de que Salvador se apercebeu, mediante o arfar do seu peito grandioso. Mas, para além da surpresa, havia algo de indecifrável naquele olhar longo de Doroteia. Algo que Salvador, imperturbável, apesar de descoberto na desconfortante situação de mirone, não conseguiu decifrar de imediato. Doroteia entrou na cozinha, e Salvador regressou ao quarto. Após meia hora de profunda reflexão e de dissecação do olhar de Doroteia, Salvador chegou a uma conclusão. O olhar de Doroteia tinha sido, inexplicavelmente, um olhar de provocação, um olhar de superioridade, de autoconfiança. Um olhar que, resumido numa frase, significava: «É bom que percebas como me desejas!»

E ele fitava agora, de novo, o corpo de Doroteia, encoberto pelo *robe* de flores, entregue à lavagem da louça do almoço. Salvador pensava, para com os seus botões, que, por mais que lhe custasse admitir, a miragem do corpo daquela mulher o mergulhava em maus pensamentos. Não percebia porquê. Sempre apreciara mulheres mais novas, mulheres magras ou mesmo escanzeladas, e, no entanto, aquele corpo prenhe e algo disforme, despertava nele o instinto felino e intenso de a devorar em cima de um canteiro de terra estrumada! Sim, em cima de um canteiro com cheiro a estrume! Se tivesse a mínima hipótese, devorá-la-ia num canteiro de terra semeado e roçariam os dois pela terra até ficarem com os corpos imundos. Os seus suores misturar-se-iam com a terra e com as sementes, ele tapar-lhe-ia a boca para não atrair a atenção dos vizinhos embaixadores, que, decerto, teriam outros assuntos a que prestar atenção, e fariam aquilo, aquilo e aquilo mesmo durante uns bons dez minutos, ao término dos quais ele teria um orgasmo grandioso e cairia por terra, desfalecido e fulminado pelo pecado. Doroteia olhou-o, despertando-o dos seus pensamentos pecaminosos:

— Em que pensa o Doutor Salvador? Decerto pensará em como se vai arranjar para me pagar a roupa que me estragou...

Salvador emitiu um som surdo. Doroteia saiu da cozinha e regressou à mesa com o envelope que Salvador vira na caixa do correio.

— Novo encontro de bruxas? — inquiriu Salvador, em tom jocoso, enquanto se erguia da mesa e começava a lavar a sua louça.

— Imagino que terá lido o meu envelope...

— Tive de o ler. Só assim soube não ser para mim.

— Na verdade, não costuma ter muita correspondência...

— Antes não ter correspondência, do que receber cartas de um clube de bruxas de terceira idade. Espero que desta vez não se reúnam cá em casa...

— Por acaso até nos vamos reunir. É uma vez por mês. Não acredito que o incomodemos assim tanto...

— Não imagina o quanto me incomodam...

— De resto, as minhas amigas não são bruxas!

— Se não são, parecem.

Silêncio. Algo de estranho se passava. Estavam a trocar mais frases do que o habitual. Tudo por causa da maldita meia vermelha! Havia que pôr um ponto final naquilo!

— Vou deitar-me — anunciou Salvador, em tom solene.

— Estava a ver que se esquecia. Já são duas e meia da tarde. Já perdeu uma boa meia hora de sono! — comentou Doroteia com atrevimento. — Antes de ir, veja a roupa no estendal e avalie os prejuízos com os seus próprios olhos.

Salvador saiu da cozinha e dirigiu-se ao estendal. Estava coberto por meia dúzia de cuecas de renda, que outrora deveriam ter sido brancas e por um número semelhante de *soutiens* com as mesmas características. Algumas peças exibiam pompons e folhos, outras eram mais discretas. Todas tinham, porém, uma característica em comum: tinham aspecto de peças de luxo, dignas de uma rainha. Tinham também em comum o estarem todas tingidas de vermelho. Sentiu-se zonzo. Voltou a entrar na cozinha.

— E a minha meia? Onde está ?

— Deitei-a para o lixo! Depois dos estragos que causou, era o mínimo que podia ter feito.

— Muito bem! E quanto quer de indemnização?

— Imagino que lhe seja difícil pagar agora. Vejo que fez as suas compras — apontou para o pacote da tabacaria — e ainda não é dia de receber a sua pensão. A palavra «pensão» foi pronunciada com especial malícia. «Para me fazer sentir velho», pensou Salvador para com os seus botões. «É claro que a miserável não tem reforma. As putas não pagam impostos. Como poderiam ter reforma?»

— Desembuche, sua velha idiota! — vociferou Salvador, fora de si.

Doroteia fitou-o, admirada. Há algum tempo que tinham deixado de se dirigir impropérios. Empalideceu, sentou-se numa cadeira e sussurrou em voz baixa:

— Estava só a brincar. De facto, tudo não passou de um lamentável incidente. — Salvador estremeceu perante a inesperada mudança de atitude de Doroteia. Arrependeu-se de imediato por lhe ter chamado «velha idiota» e não conseguiu evitar que os seus lábios pronunciassem um «desculpe» sussurrado. Saiu da cozinha com as suas compras debaixo do braço e o coração apertado. Não era a primeira vez que descobria em Dotoreia uma sensibilidade que o desconsertava. Teria preferido que ela correspondesse, na íntegra, à sua imagem de prostituta das avenidas, de mulher interesseira e reles, ordinária e sem princípios. Mas, em cada novo dia que passava, e apesar do clima de indiferença que ambos se esforçavam por criar entre si, descobria em Doroteia vestígios de uma alma luminosa e alva que o faziam estremecer de ternura.

XII

Novembro de 2002

Todas as quintas-feiras, às dezoito horas da tarde, Matilde tem a sua consulta de psicoterapia com a reputada psicóloga Lurdes Sarmento. Aquando do seu primeiro contacto, há mais de dois anos, a doutora Lurdes tinha posto os pontos nos «is». Início da sessão às dezoito horas em ponto, cinquenta minutos precisos de sessão, nem um minuto a mais, nem um minuto a menos, dez contos por sessão, pagos no final de cada mês, contra o recebimento de um recibo verde onde se lê: «consulta de psicologia». A doutora Lurdes tinha sido tão rigorosa no estabelecimento das regras iniciais, que Matilde pensara se ela não lhe iria estender um qualquer contrato para assinar sob o olhar atento de um qualquer notário que surgisse, por encanto, no gabinete. As consultas tinham tido início em Setembro de 2000, em parte, motivadas pelo falecimento do pai, em Dezembro de 1999. Em Novembro de 2002 as regras continuam a ser as mesmas e apenas o preçário sofreu alterações: de dez mil escudos, para doze mil escudos, ou, melhor dizendo, sessenta euros. Para além das regras referidas, existia ainda uma outra da qual Matilde discordava, mas que, apesar dos seus protestos, não conseguia ver alterada: rezava a regra que, caso Matilde faltasse a uma consulta sem um aviso prévio de quarenta e oito horas, seria obrigada a pagar integralmente o valor da mesma. De resto, qualquer cancelamento se tornava assaz difícil, e a doutora só acedia a fazer uma desmarcação, em caso extremo, categoria na qual poucos casos se incluíam, só mesmo e apenas os relativos a questões de vida ou de morte. Esta situação dificultava a vida de Matilde, impedindo-a, por exemplo, de fazer fins-de-semana prolongados e obrigando-a a planear cada dia de férias com total rigor. A argumentação da psicóloga baseava-se na importância de responsabilização do paciente pelo seu tratamento. Matilde não acreditava nesta argumentação, e sentia-se pressionada pela terapeuta. As regras faziam-na sentir-se uma criança pequena a ser controlada por uma mãe tirânica, e apenas se foi conformando com a situação, por se ir sentindo melhor com a evolução das sessões. Fora Manuel quem indirectamente a influenciara na escolha de um psicoterapeuta com formação de base em psicologia e não em psiquiatria. Matilde conhecia tão bem os defeitos e as manias do amigo, que não conseguia perceber que alguém tão perturbado e com uma saúde mental tão questionável, pudesse ajudar alguém ou dar conselhos a alguém (o caso de Salvador era uma excepção, e Matilde era obrigada a reconhecer que, de facto, Manuel ajudava o tio). Matilde conhecia, ainda, demasiado bem as taras dos seus colegas de curso que tinham seguido a especialidade de psiquiatria, para escolher ser tratada por um psiquiatra. Psicólogos não conhecia um para amostra. Na verdade, no seu primeiro ano de curso, conhecera Eduardo, e talvez esse facto explicasse a imagem amplamente favorável que guardava da classe dos psicólogos. A doutora Lurdes tinha-lhe sido amplamente recomendada por uma colega de curso, cuja timidez socialmente debilitante do filho mais velho tinha sido ultrapassada com a ajuda da psicóloga. A colega tinha tecido tão rasgados elogios a Lurdes que Matilde decidira tentar a sua sorte. Marcar uma primeira consulta não tinha sido fácil. A psicóloga tinha uma agenda muito preenchida; mas, ao fim de dois meses em lista de espera conseguira aquela vaga semanal. Quando, pela primeira vez, se dirigira ao consultório, situado na Rua Nova do Almada, em pleno coração do Chiado, Matilde sentira-se mais ansiosa do que gostaria. Uma recepcionista sem expressão pedira-lhe que aguardasse numa sala de espera austera e vazia. A doutora estava ainda ocupada com o paciente das dezassete horas, e passavam dez minutos das dezoito horas da tarde quando a psicóloga surgiu no limiar da porta, acompanhada por um cliente com que Matilde se viria a cruzar todas as quintas-feiras, por volta daquela hora. Foi então que, com um sorriso sem expressão nem mensagem, a doutora Lurdes a convidou a entrar e a sentar-se numa poltrona em frente à sua secretária. A psicóloga arrumou a ficha do cliente anterior numa caixa arquivadora de grande dimensão, e, após alguns segundos, olhou Matilde de frente. Tinha a sua ficha na mão, preenchida com os dados recolhidos pela recepcionista, e estaria, pois, a par do seu nome, morada, telefone, profissão e estado civil. Depois de lhe explicar as regras que regiam aqueles encontros, Lurdes começou por perguntar a Matilde, numa voz aveludada, o motivo que ali a trazia. Matilde falou dos seus problemas, da sua solidão, dos ataques de pânico pontuais, da tendência para a depressão. Lurdes quis saber se tomava alguma medicação, e Matilde referenciou os nomes dos dois medicamentos que tomava por recentíssima indicação de Manuel: *Xanax* 0,25 e *Paxetil* 0,25, «indicados por um amigo psiquiatra», acrescentou. Lurdes anotou os nomes e quis saber qual a posologia. Matilde explicou que tomava um comprimido de cada em jejum. Lurdes tomou nota. Ao cabo de cinquenta minutos, passados num ápice, uma nova sessão ficou agendada. Eram seis horas da tarde em ponto. Matilde despediu-se, algo contrariada com a rapidez da sessão e, à saída, cruzou-se com uma loura oxigenada, na casa dos trinta anos, e que ameaçava poder desfalecer a qualquer segundo. Também com ela se viria a cruzar, por essa hora, em quase todas as quintas-feiras dos dois anos seguintes. Este ritual passou a integrar a rotina de Matilde, e, poucos meses após o seu início, Matilde sentia que conhecia Lurdes desde que se conhecia a si mesma.

O espaço do consultório era imensamente acolhedor. Aquecido nos meses de Inverno e fresco nos dias de Verão, passou a representar uma espécie de ventre materno, simbolizando protecção e abrigo. O chão de alcatifa, o tecto de madeira, com luzes embutidas, as paredes revestidas a madeira clara e repletas de estantes de livros científicos e de telas a óleo, as poltronas de veludo *cerise*, a *chaise-longue* num tecido inglês florido, as estatuetas de homens e mulheres em pedras diversas, a jarra bojuda de vidro trabalhado, invariavelmente repleta de flores frescas, a luz difusa, oriunda de um sinuoso candeeiro de pé alto, situado do lado esquerdo de Lurdes, estes e tantos outros pormenores contribuíam para intensificar a sua sensação de bem-estar e de apaziguamento com o mundo exterior. Com o decorrer das sessões, Matilde foi conquistando serenidade, e a sua curiosidade, em relação à figura da sua psicoterapeuta, foi-se adensando.

Lurdes era uma mulher na casa dos quarenta anos. Matilde tinha dificuldade em calcular a sua idade com precisão, mas aventurar-se-ia a dar-lhe uns quarenta e três, quarenta e quatro anos. Era magra, sem ser franzina, detentora de um tom de pele claro ou mesmo amarelado, e não parecia propriamente irradiar saúde. O seu cabelo era castanho-escuro ou mesmo preto e os olhos do mesmo tom, pequenos, talvez excessivamente juntos e de uma perspicácia fulminante. Lurdes não era nem bonita nem feia; dir-se-ia que era uma pessoa de aspecto totalmente banal, por quem se passaria na rua sem olhar uma segunda vez. Maquilhava-se ao mínimo e tudo nela era de uma total discrição. Não usava acessórios, para além de um ocasional fio de ouro ou de um anel pequeno e discreto, que não continha em si mesmo qualquer outro significado, que não o de ser um anel. Não usava aliança, o que Matilde sabia não significar necessariamente não ser casada. Vestia de uma forma igualmente discreta e que não permitia qualquer retirar de ilações relativamente à sua personalidade. O azul-escuro poderia ser a sua cor preferida ou, pelo menos, aquela que considerava mais adequada para as suas sessões de psicoterapia. Para além de azul--escuro, vestia tons de cinzento, de bege ou de castanho, em suma, outras cores neutras, cuja neutralidade era ainda reforçada pelo corte das roupas. Direitas, nem largas nem apertadas, sem quaisquer pormenores excessivos. Uns botões dourados num casaco de malha azul--escuro foi o pormenor mais extravagante que Matilde encontrou nas roupas da terapeuta. Toda a gestualidade de Lurdes era lenta, concisa e discreta e a sua voz baixa e meiga completava na perfeição toda esta imagem de tranquilidade e sensatez. Matilde percebeu que a sofisti-cação do ambiente da sala não derivava de uma escolha da terapeuta e que o consultório era partilhado com outros profissionais. Matilde tinha a certeza de que a decoração do consultório não estivera a cargo de Lurdes e que, caso Lurdes decorasse um consultório, o teria feito de uma forma bem mais discreta, recorrendo a materiais mais baratos e a tons mais neutros. Dificilmente se teria arriscado a colocar uma tela nas paredes; teria optado por uma litografia monocromática de um pintor minimalista pouco conhecido e que não dispersasse a concen-tração dos pacientes. Sobre o tampo da secretária não se vislumbrava uma só fotografia e, por vezes, Matilde duvidava de que Lurdes tivesse família ou conhecidos. Por alguma razão oculta, imaginava que a terapeuta tivesse uma vida totalmente banal e com pouco interesse. Um dia comentara precisamente isso com Manuel e ele retorquira-lhe que, muito provavelmente, ela estaria a projectar na terapeuta a perspectiva que tinha da sua própria vida. Na altura, observara ele: «É óbvio que ela nunca te vai falar dela ou dar-te sequer indícios do que quer que seja da sua vida real. O objectivo da terapia é que o cliente fale de si, e não o inverso. De qualquer forma, penso que lhe deves confessar que tens curiosidade acerca dela. Tal será um bom indicador da fase que a vossa relação psicoterapêutica atravessa.» Matilde aceitou a sugestão e explicou a Lurdes o que expusera a Manuel. A terapeuta esboçou um ar compreensivo e respondeu: «É natural que, ao longo do processo terapêutico, o paciente tenha curiosidade acerca do terapeuta. Não se preocupe com isso. O importante é que perceba que eu sou uma pessoa em quem pode confiar integralmente.» A resposta não se revelou satisfatória para Matilde, sedenta de pormenores. A sua curiosidade abarcava os dois pacientes de Lurdes, com quem se cruzava: o paciente das dezassete e o das dezanove horas, que acabavam por ser o paciente das dezassete e dez e o paciente das dezanove e dez. Nunca tivera oportunidade de trocar qualquer palavra com nenhum deles, e gostaria de lhes perguntar se também eles sentiam curiosidade em saber pormenores a respeito da vida da terapeuta.

Logo numa das primeiras sessões, Lurdes sugeriu que se tratassem pelos nomes próprios. Matilde aceitou. No entanto, a informalidade do tratamento não fazia com que sentisse Lurdes como alguém mais próximo. Irritava-a o facto de Lurdes ser alguém tão convencional, alguém que parecia ter assimilado na íntegra as normas da sociedade. Gostava de pensar que as suas confissões poderiam, de alguma forma, introduzir alguma nota de caos e ebulição na pacífica e harmoniosa existência da sua terapeuta. Por vezes apetecia-lhe agredi-la, dizer-lhe que estava farta de a ver sempre com as mesmas roupas, aconselhá-la a pintar as unhas de uma outra cor, que não verniz transparente ou explicar-lhe que não gostava de lhe passar um maço de notas todos os finais de mês e de ficar a vê-la a contá-las, uma a uma, num claro sinal de desconfiança, e como se estivessem a transaccionar camelos. Apetecia-lhe dizer uma série de coisas, mas sabia que, se as dissesse, Lurdes reagiria às provocações com serenidade e explicar-lhe-ia, com toda a segurança do mundo, que as suas observações apenas indiciavam uma normal evolução do processo terapêutico. Por vezes sentia uma enorme vontade de lhe dizer que achava que a sua vida era tão desinteressante, que tinha escolhido uma actividade em que conseguia viver e sentir através das vidas dos outros. Também a determinação de Lurdes a irritava. Parecia deter ideias fixas e revelava mesmo alguns sinais de teimosia. Num certo momento do processo, Matilde pensou que, se por suposição, a terapeuta decidisse marcar férias no mês de Abril, obrigaria todos os pacientes a seguir o seu exemplo. Tudo em nome da facilitação do processo terapêutico. Quando Lurdes queria saber dos seus sonhos, Matilde tinha vontade de os inventar, e irritava-a que a terapeuta insistisse em que lhe contasse sonhos quando deles raramente se recordava. Quando se conseguia recordar de algum, considerava as interpretações abusivas e típicas de um manual de psicanálise barata.

XIII

Novembro de 2002

No final das consultas de sexta-feira, Emília irrompe pelo gabinete de Manuel.

— Na próxima semana o doutor tem mais marcações do que o habitual...

— Não se preocupe, mulher! Desta vez não fujo para o Tibete.

Emília exibe um esboço de sorriso sem expressão, despede-se e fecha a porta atrás de si. Manuel ergue-se da cadeira e, qual paciente, estende-se na *chaise-longue*. Tibete! Se ele nunca chegou a partir rumo ao Tibete!... O seu desgosto de amor não o levou, como na altura expressou à recepcionista, ao Tibete. Porquê o Tibete? Talvez porque, na altura, o Tibete se lhe tenha afigurado, de todos os destinos possíveis, o mais distante e o mais solitário. O lugar ideal onde se poderia dirigir no seu desejo de fuga de Matilde e de afastamento da origem dos seus problemas. De facto, Manuel não tinha um destino planeado, uma rota traçada, um ponto de chegada em mente. Apenas sentia que tinha de fugir, de se afastar, de deixar para trás o local e o país em que a sua paixão por Matilde brotara, crescera e o envolvera de uma forma total e avassaladora, de uma forma que o asfixiava e o impedia de sequer admitir poder sobreviver sem esse amor.

A imagem da bela e doce Matilde nos braços de um outro homem invadia-lhe o pensamento e tolhia-lhe os dias. Ficou em casa uma semana. Prostrado na cama. Ao fim desse tempo, a palavra «Tibete» aflorou-lhe o pensamento. Sem razão aparente. Tibete, Tibete, Tibete. O Tibete deveria ser longe. Suficientemente longe. Um lugar para lá do fim do mundo. Suficientemente distante de tudo e de todos.

O local ideal para um exilado. Alimentado por esta nova luz, telefonou para o consultório e ordenou a desmarcação de todas as consultas e a não marcação de novas. Ele, para quem o trabalho sempre fora tudo, que lutara a pulso pela conquista de cada novo paciente, estava disposto a mandar tudo para o espaço, a abdicar de uma vida de estudo e dedicação. Não se encontrava em condições de planear uma viagem ao Tibete. Não estava em condições de pensar sequer no itinerário dessa viagem, nos diversos voos que teria de fazer para atingir esse destino. Fez uma mala pequena, com três mudas de roupa de fora, quatro pares de *slips*, quatro pares de meias e quatro camisolas interiores e atirou-a para a bagageira do *Renault* em segunda mão. Por puro acaso, lembrou-se de ir buscar o passaporte que se viria a revelar absolutamente imprescindível para a sua viagem. Ligou o motor, e o *Renault* arrancou suavemente. Manuel conduziu sem destino, numa viagem com início no dia 1 de Agosto do ano de 1989, pelas dez horas da manhã, e sem destino previsto. Sair de Lisboa. Era o objectivo inicial. Sair daquela cidade onde o seu coração estava cativo e onde tinha sido dilacerado. Ir rumo ao Norte ou rumo ao Sul? Era-lhe perfeitamente indiferente. Por puro acaso rumou para sul. Algarve. O Algarve era, de todos os possíveis destinos nacionais a sul, o mais distante. Chegou, pois, ao Algarve. Uma sensação de fome invadiu-o. Uma fome ténue, enredada numa sensação de enjoo e numa tristeza sem fim. Entrou num café em Sagres e consumiu, sem vontade, um galão e uma sandes de presunto. Saiu do café, alheado de tudo. Entrou na fortaleza e sentou-se num penhasco. O oceano estendia-se, em tons de azul, à sua frente. Invadiu-o a ideia súbita de se atirar do penhasco. Quem sentiria a sua falta? Matilde estaria demasiado envolvida nos preparativos do casamento para o fazer. Os amigos eram poucos e nenhum verdadeiramente próximo. Pensou nos pais, a aguardar notícias suas na casa da Tocha. Pensou na sua mãe, na senhora dona Maria dos Prazeres, mulher analfabeta, de coração do tamanho do mundo, e abandonou a ideia com a rapidez com que a mesma o invadira. A dona Maria dos Prazeres a aguardar uma carta, um telefonema. Os olhos a encherem-se-lhe de lágrimas e o coração a ficar-se-lhe mais apertado no peito e cada vez mais pequenino. Notícias do seu filho querido. Do seu ilustre filho doutor. Do doutor Manuel que, estranhamente, não tratava de gripes nem de outros achaques do corpo, mas que, segundo ele próprio lhe contava, tratava da cabeça dos outros. Da cabeça por dentro. Da cabeça dos malucos, como ele mesmo lhe explicara, com paciência e empenho: «Sabes, mãezinha, trato da cabeça, da parte de dentro da cabeça, percebes?» Na verdade, a dona Maria dos Prazeres não percebia. A sua vida tinha sido o campo. O cultivo das terras. Cavar a terra, ará-la, semeá-la. Fazer as vindimas. Carregar os cestos de vime até ao pequeno lagar comunitário, carregar carroças com espigas de milho, levar as carroças puxadas por juntas de bois das terras até casa. A chamar as vacas: «Ó linda, vem, vem, pchhhhhcchhhh.» E o Manelinho, que tratava da cabeça das pessoas! E depois ele explicou-lhe: «Dos malucos, mãezinha, da cabeça dos malucos.» E, então, ela compreendeu. Sabia bem o que eram malucos. Pois claro, que sabia. Então, pois se lá mesmo na terra tinham o «Chorinhos», o preto «Chorinhos», que levava os dias a chorar. Que andava de um lado para o outro a chorar, sem dizer nada que se entendesse. O preto «Chorinhos», que estivera na guerra em Angola e viera de lá a chorar. Então, era isso que o seu filho fazia. O seu filho médico, o seu filho doutor, tratava da cabeça de pessoas como o «Chorinhos». Lá na capital devia haver muita gente maluca. Pelo que se via na televisão, deviam ser mesmo todos uns loucos. No seu rosto abriu-se um sorriso largo. Já podia explicar às vizinhas que o Manelinho tratava da cabeça dos malucos. E insistia, com a natural curiosidade das mães: «E ouve lá, ó Manel, por que é que não vais ter com o Chorinhos e não lhe tratas da cabeça?» Manuel tecera um gesto vago. O seu filho tecera um gesto vago. O mesmo filho que agora pensava atirar-se de um penhasco abaixo, na fortaleza de Sagres.

Aqui e além um pescador perdido. Pessoas com objectivos. Se ele ao menos tivesse um objectivo na vida, por menor que fosse, por mais insignificante! Pescar um peixe, ... mas pescar um peixe para quê? Para comer com quem, para partilhar com quem? Aqueles pescadores decerto teriam as suas famílias. Famílias com quem cozinhariam os peixes que pescavam, com quem os saboreariam com batatas cozidas com casca e saladas de alface e tomate, temperadas com sal, vinagre e limão. Mas ele não tinha ninguém com quem partilhar um peixe, nem com quem partilhar o que quer que fosse. Sentiu então que o Algarve estava demasiado perto. Que tinha de partir para mais longe. Para longe de tudo e de todos. Espanha, pensou. Espanha sempre era um outro país. E foi assim que rumou a Espanha. Atravessada a fronteira, parou o carro e comeu qualquer coisa. A comida não lhe sabia a nada. Era-lhe indiferente comer carne ou peixe, arroz ou batatas. Tratava-se apenas de comer o suficiente para prosseguir a sua viagem sem destino. A sua viagem de fuga dos outros e dos seus próprios sentimentos. Lembrou-se de telefonar à mãe. Tinha conseguido trocar escudos por pesetas, num câmbio em que sabia ter sido roubado. Saber isso não o incomodava. O dinheiro deixara de significar o que quer que fosse. Para alguém que tinha concebido a ideia de suicídio, cada minuto a mais em que continuasse vivo era a única coisa que interessava. Tudo o resto eram pormenores. Telefonou a explicar à mãe que ia fazer um estágio para o estrangeiro e que telefonaria menos do que o habitual, por uma questão de poupar dinheiro. Maria dos Prazeres aceitou a ideia. Manuel sempre soubera tratar da vida. Nada a levava a pensar que existia sequer a sombra de um problema na vida do seu mais-que-tudo. Manuel pernoitou numa pensão à beira da estrada, miserável, mas limpa. Subsistia nele uma vontade de limpeza de que procurava analisar a causa. Sempre fora um obsessivo, e a limpeza era apenas uma das suas obsessões. Por ser obsessivo e sofrer com isso, escolhera psiquiatria. Acreditava que ninguém escolhe ser psiquiatra por acaso. Estava certo disso. Nenhum dos seus colegas de especialidade era completamente normal. Cada qual tinha a sua pancadinha, umas mais graves do que outras, é certo, mas todos, sem excepção, tinham a sua. Era uma questão de as descobrir. Iludam-se os que pensam que assim não é. A sua pancada era por demais óbvia para poder ser escondida. Era obsessivo ou, na gíria dos «psis», tinha uma neurose obsessiva-compulsiva. O curso em nada tinha contribuído para as suas melhoras. «Em casa de ferreiro, espeto de pau», costumava dizer-se pelos corredores de Santa Maria, quando se falava das taras de uns e de outros. Os «psis» não resolvem os seus problemas. Apenas aprendem a dar-lhes a volta. Manuel lembrava-se de ter tido um doente que entrara num estado tal de prostração que negligenciara totalmente a sua higiene pessoal. Talvez por ter sido dos seus primeiros casos no consultório, aquele caso impressionara-o fortemente. Manuel sentia que estava próximo do fundo do poço, mas não dava a si mesmo o direito de se transformar num ser abjecto. Utilizando toalhitas que, por uma questão de feitio, trazia sempre consigo, lavou cuidadosamente o lavatório e a banheira e mergulhou num banho de imersão quente. Por uma espécie de milagre, conseguiu dormir oito horas, ao fim das quais desceu as escadas da pensão e tomou um pequeno-almoço constituído por pão da véspera e leite com café requentado. De volta ao volante do seu *Renault*, iniciou nova viagem. No seu caminho, deparou com uma placa onde se lia «Madrid» e decidiu que, por ora, seria esse o seu destino. Madrid, a belíssima capital de Espanha. À velocidade a que Manuel seguia a sua viagem, Madrid estava relativamente próxima. Enquanto conduzia, animava-o a ideia de que um acidente acabaria com o seu pesadelo, e pouco lhe repugnava a ideia de matar um condutor para quem a vida ainda se revestisse de algum significado.

Manuel não conhecia Madrid. De resto, não conhecia nenhuma cidade estrangeira a não ser Barcelona, destino da sua viagem de final de curso. Nunca entrara no famoso Prado, nunca passeara pelo grandioso Parque do Bom Retiro ou apreciara a beleza do Palácio de Cristal. A sua baixa condição social de origem e a sua dedicação exclusiva e obsessiva ao curso ao longo dos últimos anos não lhe permitiram que conhecesse coisas que pessoas da sua idade e de outras origens sociais, tinham por adquiridas. Manuel sempre tivera consciência da sua inferioridade em relação a outros colegas, muitos dos quais frequentavam Santa Maria por tradição familiar, por terem pais ou mesmo avós médicos. A consciência de uma inferioridade cultural, de uma origem socioeconómica humilde, sempre o marcara profundamente e sempre evitara falar da humildade dos seus pais aos colegas de curso ou falar-lhes sequer da sua aldeia de origem. Outra pessoa poderia orgulhar-se de ter conseguido tirar um curso superior, lutando contra dificuldades económicas e tendo nascido num ambiente da mais profunda humildade. Mas Manuel sofria e envergonhava-se das suas origens. Depois de conhecer o meio universitário de Lisboa e de conviver de perto com o *snobismo* e com o elitismo social dos meninos de Santa Maria, a sua aldeia distante parecia-lhe um pesadelo do passado, uma imagem negra a apagar a qualquer preço.

Manuel dormiu uma noite em Madrid. Dormiu quatro horas e prosseguiu a sua viagem sem destino. Em Saragoça, estacionou o carro e vagueou pelas ruas da cidade. Como um autómato, entrou na Basílica de Nossa Senhora do Pilar. No retábulo, talhado em madeira maciça, recortava-se a imagem de Nossa Senhora do Pilar, acompanhada por outras criaturas celestiais. Manuel ajoelhou-se perante a imagem da santa. Ele que era agnóstico e que só ia à missa em criança, arrastado pela mãe. Verteu lágrimas de raiva, com sabor a sal. Levantou-se e saiu. Lá fora, o Ebro, de águas tranquilas vigiando os seus passos incertos. Mulheres vendiam milho para os turistas, que o atiravam aos pombos. Como um autómato, comprou um saco de milho. Os pombos vinham comer-lhe à mão. Olhavam-no, com olhos redondos e salientes, e afastaram-se, mal o milho findou. «Interesseiros! Pombos interesseiros!», pensou Manuel, para com os seus botões. O comportamento dos pombos teve o condão de o irritar. Voltou ao carro e tomou a auto-estrada para Lérida. Pelo caminho, em Almacellas, encontrou a indicação de um parque de campismo: «Las Balsas». Era noite, e decidiu dirigir-se ao parque. Pernoitou num pequeno *bungalow*. Na manhã seguinte, caminhou indiferente pelo parque e surpreendeu-se com o grande número de piscinas existentes. A abundância era-lhe intolerável. De novo, a auto-estrada para Lérida, em língua castelhana, ou Leida, em catalão. Encontrou placas com os nomes das terras nas duas línguas, um em castelhano e outro em catalão. O secular desejo de independência da Catalunha. Prosseguiu, indiferente a qualquer reivindicação dos outros. Se as pessoas tivessem os problemas que ele tinha, não se preocupariam com questões menores. Centrado no seu umbigo e inundado de pena de si mesmo, prosseguiu viagem. A caminho de Andorra, dormiu num chalé empoleirado nas escarpas rochosas. Tal como na Fortaleza de Sagres, a ideia de suicídio atravessou-lhe a mente. As escarpas eram tentadoras, para um suicida. Torreões rochosos terminavam em lascas, formando efeitos visuais similares aos das estalactites. A rocha era escarlate, e Manuel imaginava o seu corpo em sangue a rolar por entre as pedras e a não mais ser encontrado. Mais uma vez, a lembrança da mãe afastou-o do apelo da morte.

No dia seguinte, vagueou pelas ruas de Andorra como um peregrino em meditação. As montras, repletas de todo o tipo de objectos, apetecíveis ao comum dos mortais, eram-lhe indiferentes. Entrou num bazar e comprou toalhitas de higiene, um pacote com seis *gillettes*, creme de barbear e sabonetes de glicerina. Ao seu cesto de compras juntou ainda uma pequena embalagem de gel para limpeza de sanitários e alguns chocolates, não por valorizar o seu sabor, mas simplesmente para não ter de parar para comer com tanta frequência. Munido dos seus tesouros, e sendo, decerto, o turista que menos compras fizera, regressou ao carro e pouco tempo depois atravessava a fronteira francesa.

Nas colinas verdes avistavam-se, de quando em quando, pedras brancas, que faziam lembrar enormes torrões de açúcar. Mas Manuel era indiferente às belezas das paisagens que o circundavam. Procurava não pensar em nada, a não ser em coisas totalmente banais, como, por exemplo, quantos minutos da sua vida teria gasto a falar com Matilde. Passou por uma aldeola chamada Bourg Madame. Um comboio serpenteava pelas planícies, e Manuel interrogou-se sobre qual o destino das pessoas que nele seguiam. A ideia de que as outras pessoas pudessem ser animadas por destinos causava-lhe estranheza. Tudo o que aprendera sobre a natureza humana deixara de fazer sentido. Sentia raiva e desprezo por todos. Um desprezo imenso. Desprezo pelos que não sofriam de mal de amor como ele. Enebriado pelos seus pensamentos de desdém pela espécie humana, passou Perpignan, sem sequer se aperceber. No caminho de Narbonne sentiu sede e parou o carro junto a vendedoras de frutas frescas. Por alguma estranha razão, comprou alhos, alhos que proliferavam nas cestas das mulheres. «Os alhos espantam o demónio», lembrava-se de a mãe lhe confidenciar em criança, em noites de tempestade. Talvez os alhos o ajudassem a afastar os seus demónios. Com os alhos pateticamente dependurados no espelho retrovisor, parou em Béziers. Por puro automatismo entrou na catedral situada na Praça da Revolução. Sentou-se numa cadeira de pedra talhada e fitou o altar e os vitrais durante alguns minutos. Uma onda de paz inundou-o, para, em seguida, o abandonar. Passou a noite numa estalagem situada na estrada entre Béziers e Montpellier. Limpou o lavatório e a banheira com uma quantidade abusiva de gel e, mergulhado na banheira, pensou em mil formas de se vingar de Matilde e do seu jovem marido. Perdera a noção do tempo, e não sabia se o casamento já tinha tido lugar. Pouco dormiu nessa noite, atormentado pelo ódio e por um indomável desejo de vingança. Vacilava entre o desejo de se destruir a si mesmo e o desejo de destruir quem entendia que o tinha destruído. Com o passar dos dias, o segundo desejo começava a ganhar terreno. No dia seguinte, telefonou para o consultório a saber o que por lá se passava. Na realidade, a questão não lhe interessava. Apenas queria saber se havia alguma notícia de Matilde. Talvez ela se tivesse arrependido à última da hora e lhe tivesse telefonado. A recepcionista informou-o de que a situação estava péssima, e de que os seus pacientes estavam todos a mudar de médico. Manuel não se surpreendeu. Afinal, ele mais não era do que um recém-especializado sem experiência, e o que mais havia na capital eram médicos conhecidos e com maior experiência. «E a Doutora Matilde, por acaso não telefonou, não?», perguntou em jeito de acaso. «Não, Doutor, não telefonou!» A resposta era óbvia. Matilde estaria ocupada com outras coisas. «Sabe dizer-me que dia é hoje?», prosseguiu Manuel. «Dia 6», informou Emília. «De que mês?», insistiu Manuel. Nitidamente surpreendida com a pergunta, Emília respondeu: «De Agosto, Senhor Doutor.» Foi então que Manuel percebeu que Matilde ainda não se tinha casado e que decidiu pedir a Emília que fosse a uma ourivesaria e lhe comprasse a maior salva de prata que encontrasse e que mandasse inscrever a frase: «Esquece que existo.» Acrescentou às suas instruções, que pretendia um embrulho muito chique e que o enviasse por estafeta à Doutora Matilde. Acrescentou que encontraria com facilidade a morada de Matilde na sua agenda telefónica. De facto, conhecia-a de cor, mas não queria demonstrá-lo. Algo embaraçada, Emília tomou nota do pedido. «O dinheiro que tem em caixa deve dar para pagar essa treta!», acrescentou Manuel, sem esconder um suspiro de desprezo.

Desligou. O telefonema avivou as recordações da sua vida em Lisboa e mergulhou-o num mar de ódio por Matilde. O amor e o ódio tocam-se, pensou de si para si mesmo. Antes odiá-la, que amá-la. Odiá-la seria decerto mais indolor.

Nas ruas de Montpellier comprou um detergente e uma panóplia de chocolates e de embalagens de sumos diversos, sem preocupação com os seus sabores. Enquanto bebericava um sumo, uma francesa atrevida, em roupa interior, acenou-lhe de uma varanda em ferro forjado e dirigiu-lhe um piropo. Manuel franziu a cara e sentiu vontade de a matar. A francesa retorquiu-lhe que ele era *gay*, e ele fez tenção de lhe atirar com o pacote de sumo à cara. Afastou-se do local em passadas largas, algo perturbado com a sua própria agressividade.

Nîmes deu-lhe as boas-vindas com uma estátua, cujo elemento central era um boi. Manuel franziu o sobrolho, descontente. Na fachada de diversos edifícios públicos e monumentos vislumbravam-se relógios de sol. Manuel não gostou da cidade e procurou outro destino. Na verdade, nesses tempos não gostava de nada, nem de ninguém. Não gostava de si próprio, e isso era, de facto, de tudo, o mais grave. Avignon surgiu como o próximo destino. Não que Manuel o tivesse planeado, uma vez que nem de um mapa era possuidor. Apenas porque uma placa com o seu nome surgiu no seu caminho. Enquanto encontrasse placas com nomes de lugares, a sua vida poderia revestir-se de algum sentido. Tal como David Zimmer, a personagem principal da obra de Paul Auster em *O Livro das Ilusões*. David Zimmer entrou numa depressão após a morte da mulher e dos seus dois filhos, num acidente de avião. Estava a ver televisão quando deparou com um filme mudo de um actor desconhecido, de nome Hector Mann. Por alguma razão, o filme fê-lo rir, e decidiu, então, dedicar os meses seguintes da sua vida a escrever um livro sobre os filmes desse ilustre desconhecido. Tal como David Zimmer, também Manuel só tinha um fim na sua vida: viajar sem rumo, afastar-se de Lisboa o mais que lhe fosse possível. Poderia ter simplesmente apanhado um avião e rumado para o Tibete. Mas foi assim que as coisas lhe aconteceram. Por desígnios desconhecidos. Mas Manuel não lera o livro do grande Paul Auster. Os seus conhecimentos de literatura eram demasiado exíguos. Limitara-se a fazer as leituras obrigatórias no secundário: Eça de Queiroz, Camões, Almeida Garrett, Alexandre Herculano e Fernando Pessoa, de entre alguns outros. Lera-os e detestara-os. Se os lesse nesses dias, ainda mais os detestaria.

Atravessou a ponte sobre o Ródano. As muralhas de Avignon cingiam docemente a cidade. Entrou no palácio dos Papas, pela Porta dos Champeaux. Comprou um bilhete de entrada de cor verde-pálido em que se lia em letras pretas «Visite au Palais des Papes». Manuel esboçou um sorriso de desdém. Não pretendia visitar o que quer que fosse. Apenas consumir tempo da sua vida sem sentido. No rés-do--chão olhou sem qualquer interesse para um fresco dos profetas, pintado por Mateus Giovanetti entre 1352 e 1353. Para qualquer mortal, com alguma cultura, estar no Palácio dos Papas de Avignon representaria uma oportunidade única de contacto com a história. Para Manuel, era tão interessante como passear por entre os detritos de uma lixeira. Dormiu numa pensão na cidade e, de madrugada, tomou o caminho para Arles, passando antes por Tarascon, terra imortalizada por Alphonse Daudet. Manuel ignorava-o. Nunca lera *Lettres de mon Moulin*, nem qualquer outro livro do escritor francês. Manuel engoliu uma sanduíche de queijo e uma cerveja no jardim de Tarascon, pleno de choupos e de plátanos. Mirou com desconfiança os casais de namorados e os velhotes que jogavam a um jogo semelhante ao jogo da malha. Algumas pessoas cumprimentaram-no, como é uso nas pequenas localidades, mas ele ignorou-as. De alguma forma, Tarascon trouxe-lhe a sua aldeia ao pensamento e apressou-se a partir. Telefonou à mãe de uma cabina pública e disse-lhe, no tom de voz mais convincente que conseguiu encontrar, que o estágio no estrangeiro estava a correr da melhor forma. «Não, mãezinha! Aqui não tenho telefone. Mas não te preocupes que eu vou telefonando.» Ao dizer-lhe isto não estava de todo consciente de que eram estas promessas de novo contacto e o amor pela sua mãe que o iam mantendo vivo.

Marselha pareceu-lhe demasiado grande e movimentada, e partiu para Toulon. Seguiram-se Cannes, Nice, o pequeno principado do Mónaco e a fronteira italiana. Aosta agradou-lhe ligeiramente mais do que as cidades de luxo por onde passara. Tascas, estendais de roupa branca, carros baratos, mercados de tecidos. A caminho de Turim foi apanhado no meio de uma enorme tempestade e desejou que essa tempestade o engolisse para sempre. Mas a tempestade não o engoliu. Passou por ele, indiferente. A sua hora ainda não tinha chegado, e a morte nunca se engana. Chega precisamente no momento em que está escrito. Nem antes, nem depois. Passou por Sentallo. Viam-se celeiros a perder de vista, quintas sucediam-se, tractores e milheirais mais altos do que homens grandes. O cheiro a estrume rodeava o carro. Legiões de camponeses trabalhavam os campos. Em Turim, encontrou grupos de freiras e inundou-o a ideia peregrina de entrar num convento e de se tornar monge. Tornara-se um hábito entrar nas igrejas nos vários sítios por que ia passando. Entrou numa igreja. Observou os vitrais que representavam a vida de Jesus Cristo. O chão, construído sobre barrotes, rangia sob os seus passos. A visão da Via Sacra tocou alguma coisa dentro de si e fê-lo sair com rapidez. Veio a entrar numa outra igreja branca e com um interior de linhas suaves, que o apaziguaram por instantes. Ecoava uma música de órgão ritmada, e, por momentos, deixou-se embalar. A igreja estava iluminada por dezenas ou mesmo centenas de velas, que os crentes acendiam em sinal de devoção. Comprou uma vela e acendeu-a. Apenas por acender. Da mesma forma semiautomática como um jogador do jogo de computador *The Sims* coloca um dos seus bonecos a desempenhar uma qualquer acção, como «ligar o televisor» ou «pintar uma tela». Ficou por algum tempo de olhar perdido na chama da vela branca. Por breves momentos esquecido da sua ânsia em prosseguir caminho rumo a nada. Estremeceu. Acordado da tranquilidade dos últimos momentos, assustado com essa mesma tranquilidade inesperada, prosseguiu caminho. Deixou Turim e as suas igrejas abandonadas nas margens do rio Pó. Pernoitou uma noite em Milão. Desde que iniciara a sua viagem sem destino, nunca se entregara ao luxo de passar duas noites num mesmo lugar. Na praça da catedral, comprou um saco de milho, que distribuiu pelos pombos, sem esperar por sinais de agradecimento. Fazia-o porque gostava de repetir acções, porque os rituais o seduziam, e apenas por isso. Dois guardas não o deixaram entrar na catedral. Argumentaram que estava «pouco vestido». Deviam referir-se aos calções. Soltou um gemido de ódio e, por momentos, a ideia de matar os dois homens atravessou-lhe a mente. Via os dois homens no chão, os pescoços estrangulados pelas suas próprias mãos. Olhou-os longamente. Leram ódio no fundo dos seus olhos e estremeceram. Manuel afastou-se apressadamente. Percorreu o célebre corredor junto à catedral, o corredor coberto de vitrais e recheado de lojas. Manuel não queria saber das lojas. Apenas queria comprar nova embalagem de gel líquido para sanitários. Não a encontrou. À saída do túnel, uma praça com esplanadas. Uma velhota simpática pediu-lhe, em inglês das Américas, que lhe tirasse uma foto com o marido. Algo na velhota lhe terá recordado a sua mãe. Aceitou o pedido e tirou a foto. A velhota agradeceu e quis dar-lhe uma nota, em sinal de gratidão. Manuel percebeu que o seu aspecto devia ser o de um vadio. Apesar da sua obsessão pela limpeza, não fazia a barba desde que o pacote de *gillettes* que comprara em Andorra acabara, já lá iam muitos dias. A sua roupa estava gasta e quase rota. Olhou para a velhota com desprezo e ainda pensou dizer-lhe que estava a falar com um médico, mas conteve-se. Afastou a nota com um gesto brusco e lançou à americana um sorriso odioso. Afastou-se em passadas largas. Todas as pessoas com que se cruzava lhe pareciam *hippies*, drogados ou bêbedos. Partiu sem conseguir comprar o detergente, facto que o ia mergulhando num estado de ansiedade crescente à medida que a noite se ia aproximando e que se ia também aproximando a altura em que teria de parar para dormir num qualquer local. Encontrou uma pensão, mas o estado da banheira não lhe permitiu que ficasse. Em tom rude, pediu ao recepcionista o livro de reclamações e escreveu, no seu melhor francês, que nunca em toda a sua vida vira um sítio tão nojento. O recepcionista decifrou a custo a letra de médico do Dr. Manuel Pinto (Manuel assinara a reclamação, precedendo o seu nome da expressão «Dr.») e ofereceu-se prontamente para mandar alguém limpar a casa de banho do n.º 39. Mas Manuel não esperou. Teria de ser ele a limpar. De outra forma, a casa de banho não estaria em condições de ser usada por ele. Dormiu no carro e, no dia seguinte, acordou com uma intensa dor nas costas e com pior humor do que o habitual.

Tomou o pequeno-almoço numa tasca enfeitada por floreiras repletas de sardinheiras em tons de rosa e pequenas mesas cobertas por toalhas aos quadradinhos vermelhos e brancos. O pão tinha acabado de sair do forno. A própria dona da tasca lho explicara com simpatia, sem saber que tal facto lhe era completamente indiferente. Comia para sobreviver. Apenas para isso. À sua volta passeavam habitantes locais e alguns turistas e o ambiente era extremamente aconchegante. Qualquer outra pessoa teria sentido vontade de ficar algum tempo e de fazer algumas compras, mas Manuel apenas pensava em comprar o seu detergente. Conseguiu-o em poucos minutos, ligou o carro e partiu sem saudades. Atravessou, com velocidade excessiva, o túnel do Monte Branco, com o desejo súbito de se estampar contra as suas paredes. Passou por grupos de pessoas que faziam piqueniques e por teleféricos de onde turistas encantados lhe enviavam amistosos sinais de adeus, a que respondia com gestos de irritação. Todos lhe pareciam estupidamente felizes, e tanta felicidade junta tinha o condão de o irritar. Atravessou a fronteira suíça. Em Martigny prosseguiu o seu ritual de visitas a igrejas. Entrou na igrejinha cinzenta de interior branco. Contemplou por alguns instantes os quadros representativos de cenas da vida de santos. Saiu com pressa, com a pressa de alguém que nada tem que o prenda a lado nenhum. Passou por Montreaux e depois chegou a Lausanne. Num passeio largo, junto ao lago Leman, ia sendo atropelado por uma mulher jovem empoleirada em cima de uns patins.

Sentiu uma onda de raiva pela mulher. Ela pediu desculpa, mas fugiu a alta velocidade, mal vislumbrou o ódio no fundo dos seus olhos. Dormiu em Lausanne, depois de despender uma hora a lavar a fundo toda a casa de banho e de deixar mais uma reclamação na recepção. Desde esse dia, passou a escrever reclamações, relativas à sujidade das casas de banho, em todos os locais onde pernoitou. Independentemente do estado em que as encontrasse. Por uma questão de princípio, e apesar de os suíços terem fama de ser limpinhos. Em Genebra observou as bandeiras suíças, esvoaçando nas varandas e pensou, de si para si, que tal seria perfeitamente impensável no seu país natal. Pensar no país, fê-lo pensar na mãe. Dirigiu-se a uma cabina e telefonou-lhe. Foi o pai quem atendeu. Numa voz transtornada, explicou-lhe que a mãe estava muito doente. Acrescentou que tinha procurado contactá-lo, mas que a recepcionista do consultório lhe dissera que tinha ido para o Tibete. Não soubera o que fazer ou como entrar em contacto com ele. «O que tem a mãezinha?», perguntou Manuel tomado de um pânico súbito, que lhe acelerou o pulso e o impediu de respirar com regularidade. Do outro lado da linha, a voz do pai soava estranha e distante. «Não sabemos bem, mas está mal. Desculpa lá o transtorno Manel, o Tibete deve ser longe e sei que estás a trabalhar... mas o melhor será voltares. O mais depressa possível, está bem?» A ligação caiu, e Manuel mergulhou num estado de ansiedade assustador. Dirigiu-se para o carro como um autómato, e conduziu rumo a um destino que agora sabia ter e cujo nome não necessitava ler numa placa da estrada: «aeroporto». Deixou o carro mal estacionado e, sem se preocupar com o destino que os suíços decidissem dar-lhe, ou mesmo em levar consigo o seu valioso detergente, entrou no aeroporto e comprou um bilhete para o Porto, com transbordo em Paris. Nesse mesmo dia chegou ao Porto e, sem preocupações com distâncias e com o seu significado, em termos de escudos a pagar, apanhou um táxi para a aldeia que o vira nascer trinta e dois anos atrás. Por volta das onze horas da noite tinha a cabeça enroscada no ventre da mulher que o trouxera a este mundo. Da única mulher que o soubera amar.

Um ano depois de partir «para o Tibete», Manuel regressou a Lisboa. Ao hospital e ao consultório. Começou tudo de novo. No consultório, não lhe sobrara nenhum doente. «Um ano no Tibete!», comentavam os colegas. «Como é que tiveste coragem? Mas, afinal, o que foste fazer ao Tibete?» As perguntas eram recorrentes, as respostas vagas. Respondia-lhes com frases do género: «Em profunda meditação», «Num mosteiro». Os colegas teciam esgares de espanto e de admiração. «Como nos filmes», diziam alguns.

Silva Lapa facilitou-lhe a *rentrée* em Santa Maria, depois de um ano de licença sem vencimento. Conhecia os directores e chefes de serviço de Psiquiatria, e contava-lhes maravilhas sobre Manuel. Não acreditava na história do Tibete. Desconfiava de que a partida de Manuel estivera relacionada com o súbito casamento de Matilde. Sentia-se em dívida para com ele. Afinal, ele tinha sido o principal responsável pelo despoletar da sua paixão pela filha. Da paixão que ele sabia existir. Via-a nos olhos de Manuel. Ele, Bernardo, um homem de paixões, sabia reconhecer um homem apaixonado. Estava feliz por Manuel ter regressado de onde quer que tivesse estado. Regressado e curado, parecia-lhe. De facto, Manuel sentia-se curado da sua paixão desenfreada por Matilde. Passara alguns meses na sua aldeia a cuidar da mãe. Aqueles tempos tinham-lhe curado a alma. Sentia-se leve. Disposto a recomeçar, a conquistar novos clientes, a prosseguir a sua carreira. A fazer a mãe sentir-se orgulhosa. A fazê-la sentir que tantos sacrifícios tinham valido a pena.

Bernardo quis ter a certeza de que Manuel estava curado. Para se sentir de consciência tranquila. Convidou-o para ir jantar num sábado à casa de Santos. Recebeu-o com uma certa solenidade, inquieto com o seu plano. Tinha pedido a Marinela que preparasse um pargo no forno. O prato preferido de Manuel. Serviu um vinho branco gelado, apuradíssimo. Bernardo tratava-se bem. Antes do pargo, um creme de espargos divinal. Depois do pargo, uma sobremesa de comer e chorar por mais. Café e licor. Tudo degustado ao som de uma ópera potente. Quando recolheram à sala de fumo, Silva Lapa insistiu com Manuel para que o acompanhasse numa cigarrilha especial. Numa voz trémula, acrescentou, *en passant*: «Matilde teve um filho.» Manuel não compreendeu logo a frase. Matilde era um nome distante. Demorou tempo a perceber de quem se tratava. Matilde! Matilde tivera um filho. Matilde casara em Agosto de 1989. Estava-se então em Outubro de 1990. Fez contas de cabeça. Matilde mãe! Que estranho! Por outro lado, nada mais natural. Matilde ter um filho. Fora rápida, pensou de si para si. Lembrou-se de que deveria dar os parabéns a Silva Lapa. Fê-lo com delicadeza e serenidade. Silva Lapa exultou de contentamento. Manuel estava curado. Sentia-se renascer. A culpa que o atormentara no último ano dissipou-se por completo. «O miúdo chama-se Martim, imagine-se, Martim», confidenciou Silva Lapa, exibindo um sorriso de avô babado. «Martim.» Manuel não conhecia ninguém com esse nome. Lembrou-se de um livro que lera em criança que se chamava *Martim e as cegonhas*. Sorriu. «É um bom nome», observou. Queria com isso dizer que era um nome tão bom como outro qualquer, e dar o tema por encerrado. Mas Silva Lapa estava emocionado por poder falar do seu neto com Manuel. Insistiu no tema: «Nasceu em Maio. Tem agora cinco meses. É espertíssimo, o raio do miúdo! Agarra tudo o que se lhe põe à frente. Leva tudo à boca. Rebola, segura num espelho para se mirar e ri imenso. Sai à mãe. Nisso sai à mãe.» O riso da mãe, pensa Manuel. O riso único de Matilde. Infantil e desvairado. Silva Lapa prossegue: «Já segura a cabeça com imensa facilidade e mantém-se sentado, desde que com apoio, claro. É muito maluco! Passa a vida a imitar a minha tosse e ri-se quando eu tusso. Mal a mãe aparece com os frascos das gotas, abre logo a boca.» Manuel mergulhado nos seus pensamentos. Matilde mãe! Deve ser lindo de ver! Uma mimada como ela! E Bernardo insiste, ainda: «É claro que a mãe anda louca. A tirar a especialidade e com uma peste daquelas em casa... Tem uma empregada, mas ela é uma mãe galinha. Anda sempre a correr que nem uma louca. Qualquer dia estampa-se por aí. As aulas, os bancos no hospital e aquele miúdo é dose de mais para uma pessoa!» Manuel esboça um sorriso compreensivo. Não sente qualquer espécie de pena de Matilde. Foram as suas escolhas. De resto, ela sempre soube tratar da sua vidinha. Terá tudo sob controlo. É uma mulher forte.

— Então, Professor, e como vai o consultório? — pergunta finalmente Manuel, procurando mudar de tema.

Outras pessoas lhe vieram falar de Matilde. Dois ou três amigos comuns. Soube que Matilde estava a residir em Santos, num minúsculo apartamento alugado. O marido era economista. Não havia muito mais a saber. Manuel recebia as notícias com uma frieza surpreendente. Com uma frieza que o surpreendia. Como se lhe contassem coisas de alguém que mal conhecia. Sentiu-se curado. Dedicou-se à carreira. Mais do que nunca. A sua carreira avançou como um veleiro em dias de vento forte. A conta bancária cresceu proporcionalmente. O «retiro no Tibete» despertara nele um desejo incontrolável de manter relações carnais, e dedicou-se, de corpo e alma (mais de corpo, do que de alma), à (re)descoberta dos mistérios do sexo oposto, tarefa que lhe preencheu o pouco tempo livre e o pensamento. É verdade que, ocasionalmente, pensava em Matilde, mas não mais do que isso: ocasionalmente, no intervalo de duas relações.

XIV

Nessa quinta-feira, Matilde proporia a Lurdes, como tema de sessão, «Vladimir Krapov».

— Hoje, se concordar, falar-lhe-ei de Vladimir Krapov.

— Muito bem! — Era frequente Matilde ter a possibilidade de escolher um tema sobre o qual falar na sessão.

— O que quer que lhe diga?

— O que me quiser dizer.

— Em cinquenta minutos?

Lurdes consulta o relógio.

— Em quarenta e cinco minutos de hoje e ao longo das sessões que quiser.

Matilde acena com a cabeça, em gesto de concordância.

— Não sei por onde começar... Conheci-o em Moçambique. A 14 de Outubro de 1994. Eu era uma jovem mãe de trinta anos e ele, um senhor de quarenta e cinco. Há um ano que eu estava a trabalhar em Moçambique. Tinha respondido a um pedido de médicos para uma missão humanitária em Moçambique. Integrava uma missão da AMI (Associação Internacional das Migrações). O meu trabalho consistia em fazer um pouco de tudo: prestar cuidados primários de saúde, vacinar crianças e adultos, tratar feridas, fazer ligaduras, curar febres, lidar com situações de HIV, de cólera, malária, poliomielite, parasitoses, doenças diarreicas, doenças relacionadas com má nutrição, entre muitas outras. O rimo de trabalho era duro e as condições de vida não eram as melhores. Vivíamos nuns barracões improvisados nos arredores de Maputo. Não eram as melhores condições para se criar um filho. Estava certa disso, perfeitamente consciente. Mas determinada. Apesar do panorama de desgraça e miséria que nos rodeava, o Martim era uma criança feliz. Pela primeira vez, desde que nascera, eu tinha oportunidade de estar com ele algum tempo. Em Lisboa, isso não acontecia. Passava os dias no Hospital e quase não o via. Uma ama moçambicana tomava conta dele durante o dia. Do nosso acampamento ao Hospital em que trabalhava, a distância era curta. E sem bichas. Sempre que tinha algum tempo livre, ia ter com ele. Brincávamos muito e ríamos. Tomávamos banhos de rio e passeávamos pela praia à procura de estrelas-do-mar cor-de-rosa e mergulhávamos em busca de corais. A vegetação era luxuriante. O clima quente. O Martim brincava com outras crianças filhas de membros da missão. Organizavam-se muitas actividades e, apesar das desgraças, havia coisas muito autênticas. Os sentimentos eram exacerbados, as relações estabeleciam-se entre as pessoas com uma força inexplicável. Tínhamos de nos unir para sobreviver, para matar as saudades de Portugal, para ajudar os outros. Foram tempos de coragem e camaradagem. À noite, os negros que trabalhavam connosco acendiam fogueiras e entoavam cânticos nativos e dançávamos em seu redor com colares de flores exóticas ao pescoço. Era tudo muito forte! A natureza, o clima, a proximidade da morte. Sentíamo-nos poderosos, com poder de curar e de salvar. Sentíamo-nos realizados. Cheguei à missão acompanhada por dois colegas de Portugal. Um homem e uma mulher. Foram-me apresentados durante o voo. Mantivemos o contacto até hoje. Partilhamos memórias. Foi lá que nasceu a minha amizade com Isa, a minha melhor amiga, se quiser falar como os adolescentes. Estava-se em Outubro de 1993. No final de um ano de trabalho árduo, mas gratificante, do ponto de vista humano. Não quis regressar a Portugal. Na verdade, não tinha nada nem ninguém à minha espera. Consegui que me prolongassem o contrato. Por mais um ano. Havia falta de voluntários. As pessoas são comodistas. Gostam de exercer medicina à porta de casa e em doses pequenas, que não lhes façam perder o sono. Eu estava bem, e o meu filho estava bem. Duas vezes por ano, vínhamos a Lisboa, e o Martim passava uns dias com o pai. O processo de divórcio ainda estava a decorrer. Foi moroso. Tínhamos ido para litigioso. O Vasco não aceitava a separação, não a compreendia e continuava a pensar que me poderia prender a ele para sempre. Não era apenas ele que eu não queria. Era, antes, tudo o que ele representava de socialmente correcto, de institucional, de conveniente. Eu sabia ser diferente e fazia questão de o ser. O Vasco ameaçou retirar-me o Martim, mas acabou por desistir. Percebeu que o filho era feliz comigo, no «país dos pretos», como o Vasco o apelidava, com desdém. Costumava comentar, em família, que o filho vivia com a mulher no terceiro mundo. Os amigos achavam piada a este tipo de observações. Nenhum tinha nada na cabeça. O meu projecto representava, para as pessoas que o rodeavam, um acto de loucura e de irresponsabilidade. Na família do Vasco ninguém morria de amores por mim. Recordo-me, como se fosse hoje, que, no dia em que nos casámos, os pais dele pareciam estar a assistir a uma espécie de velório sem morto.

Matilde esboça um sorriso ténue e mergulha num mar de pensamentos.

— E o Vladimir...

— Como disse, conheci-o em 14 de Outubro de 1994. Há um ano que eu estava em África. Sem ter tido nenhum *affair*. O que em mim era estranho. Tinha passado a minha vida apaixonada por alguém. Nesses tempos, andava demasiado ocupada para pensar em *flirtar* alguém. Perante a lei, continuava casada com o Vasco. Não que isso importasse. Sempre liguei pouco ou nada às convenções sociais. Tal como a minha mãe. Não estava à espera de conhecer ninguém. Estava sozinha há muito tempo. Sem me dar conta disso. Cruzávamo-nos com muitas pessoas. Havia atracções passageiras. Que iam e vinham. Ninguém permanecia muito tempo no nosso acampamento. Éramos um ponto de passagem, não de destino. Para ele não foi assim. Chegou a Moçambique para ficar algum tempo. E assim foi.

Pausa. Suspiro profundo.

— O Vladimir nascera na Rússia quarenta e cinco anos atrás. A 4 de Agosto de 1949. No grande império da antiga União Soviética. Nasceu nos arredores de Moscovo, numa pequena localidade. No maior império do mundo, mas no seio de uma família muito humilde. Era o sexto dos seis filhos da família Krapov. Nenhum dos seus cinco irmãos teve possibilidade de continuar os estudos. Todos se dedicaram a trabalhar duramente com o pai nos caminhos-de-ferro. A mãe dava cabo da saúde numa fábrica de têxteis. Mas Vladimir alimentava outros sonhos para a sua vida. Na escola era o melhor aluno. Em vez de ingressar numa escola técnica, que não lhe daria acesso à universidade, preferiu ir para uma instituição que lhe permitisse esse acesso. Essa decisão custou-lhe ter de fazer um longo trajecto diário num autocarro degradado. O dinheiro era muito pouco, e, para poder prosseguir os seus estudos, Vladimir teve de arranjar um trabalho à noite: trabalhava como padeiro. Dormia quatro horas por noite, mas, mal o despertador tocava, levantava-se com uma determinação invulgar, e apanhava o seu autocarro para a escola distante. Dormia durante todo o percurso de autocarro e, chegado à escola, brilhava. Os professores teciam-lhe elogios rasgados e diziam aos pais que o filho brilhava como uma estrela na noite mais escura. Vladimir não tinha amigos. Os colegas gozavam-no pelo seu empenho nos estudos. Sentia-se, de acordo com uma expressão russa, uma «gralha branca» entre os outros. Igual, mas diferente. Foi assim durante toda a vida. Solitário e determinado. Com uma chama interior que se reflectia nos seus olhos claros e o fazia brilhar. A custo de muito trabalho, dedicação e determinação, Vladimir conseguiu terminar a sua licenciatura em História-Arqueologia na Universidade de Moscovo com uma média elevadíssima. A sua média de final de curso e a sua determinação permitiram-lhe ficar como assistente de Arqueologia na Universidade de Moscovo. Tinha então trinta anos. A sua nova condição profissional proporcionou-lhe deixar a vida dura e dedicar--se, de corpo e alma, à sua nova profissão. Era sedento de conhecimento, intelectualmente brilhante. Geria o seu magro ordenado de assistente com sabedoria e ainda lhe restava dinheiro para ajudar os pais e os irmãos. Alugou um apartamento modesto nos arredores da capital. A sua ascensão social foi rápida e fulgurante. No espaço de quinze anos, completou um mestrado, doutorou-se e publicou dezenas de livros. Com a idade de quarenta e quatro anos tornou-se o mais novo vice-presidente de uma associação internacional de Arqueologia e passou a ser habitualmente convidado para proferir conferências em países diversos, nomeadamente na França, país onde a Arqueologia bebe muita da sua inspiração. Brilhante, charmoso e iluminado, Vladimir passou a constituir uma referência incontornável da arqueologia contemporânea. Foi precisamente no apogeu da sua carreira que o conheci. O sucesso não lhe passara ao lado. Tornara-se pretensioso e arrogante. Dominador e líder. A «gralha branca» chegara onde sempre quisera, mas os estigmas que a vida lhe tinha deixado eram marcantes.

«Foi o homem arrogante e pretensioso que encontrei no primeiro dia em que me cruzei com ele. Pretensioso e arrogante. Estava, nessa altura, a escrever um livro sobre achados arqueológicos em Moçambique, um trabalho que fora encomendado pela UNICEF à associação de arqueologia de que era, na altura, vice-presidente. O assunto interessara-o e envolvera-se pessoalmente no projecto. Tinha lido tudo o que havia para ler sobre o assunto e liderava agora uma expedição de cinco técnicos e académicos ao território. A AMI tinha estabelecido um protocolo com a UNICEF, de acordo com o qual a equipa de Vladimir poderia partilhar o acampamento connosco. Não recebemos, no entanto, qualquer informação superior sobre o assunto, e, quando nesse

108

fim de tarde, regressámos ao acampamento, depois de um dia de trabalho intenso no hospital e nos deparámos com cinco elementos desconhecidos perfeitamente instalados naquelas que eram as nossas instalações há já algum tempo, ficámos, no mínimo, surpreendidos. Na altura, eu era uma jovem médica em início de carreira, sem nome feito em Lisboa e que estava naquela missão mais para fugir da minha vida entediante com Vasco, do que por qualquer outra coisa. A primeira vez que olhei para Vladimir, ele estava embrenhado numa acesa discussão com Gustavo Mendonza, o meu chefe de missão, um médico espanhol de sessenta anos, que eu admirava como se de um deus se tratasse. Vladimir gritava com Gustavo, enquanto gesticulava e lhe tentava explicar, num inglês sem falhas, que tinha recebido autorização do governo de Moçambique para ficar no acampamento. Gustavo Mendonza explicava-lhe, num tom de voz sereno, que não recebêramos qualquer informação nesse sentido, mas que teríamos todo o prazer em acolhê-los por algumas noites. Vladimir estava vermelho como um tomate, inflamado de raiva e berrava com Gustavo, retorquindo que não se tratava de nenhum favor, que a equipa dele tinha autorização de permanência. Puxava de todos os seus galões, um a um, dizia que Gustavo estava a falar com o Professor Vladimir Krapov em pessoa, vice-presidente de uma associação internacional de arqueologia de que Gustavo nunca ouvira falar e que nunca, em nenhum lugar do mundo, encontrara uma desorganização tão grande num acampamento. Não havia acordo possível. Vladimir pretendia que lhe servissem o jantar, mas Gustavo explicava, com paciência, que era médico, que estivera todo o dia a trabalhar, que estivessem à-vontade, mas que não era tarefa sua preparar jantares a quem nem sequer tinha por convidado. Os ânimos estavam no rubro. A equipa que Vladimir liderava parecia disposta a atacar-nos a qualquer momento, e, por segundos, temi que a situação evoluísse para a agressão física. Alguma coisa dentro de mim me fez avançar dois passos e interromper a discussão entre os dois homens. Foi precisamente isso que fiz. Aproximei-me alguns passos e disse, no meu melhor inglês, com a voz débil e rouca que é a minha:

«"Tudo isto não deve passar de um mal entendido. Se o Professor Vladimir e a sua ilustre equipa não se importarem de fritar as salsichas e de cozer o arroz, teremos todo o prazer em que jantem e pernoitem connosco. Amanhã, depois de uma noite de sono, tudo se há-de resolver."

Vladimir olhou-me em cheio, a surpresa estampada nos seus olhos azuis-claros transparentes. O meu convite estava armadilhado de ironia, e, qualquer pessoa que me conhecesse minimamente, sabia que eu era tudo, menos uma pacifista. No entanto, por alguma espécie de magia, Vladimir soltou um suspiro profundo e acatou o convite. Os ânimos serenaram e cada qual regressou às suas tarefas. Nós, aos duches improvisados e ao confeccionar do jantar; eles, ao preparar dos sacos-cama para a noite e à ajuda no jantar. Retirei-me para a minha tenda e procurei uma muda de roupa. O dia tinha estado escaldante e sentia-me feder. Por alguma razão, o olhar translúcido e transparente do russo pomposo não me deixava concentrar nas tarefas mais simples. Depois do duche, comecei a preparar uma fogueira no centro do espaço de terra batida onde sempre costumávamos jantar nos dias sem chuva. Vladimir passou por mim duas ou três vezes, e os nossos olhares cruzaram-se com uma intensidade sufocante. O jantar decorreu dentro da normalidade. Depois da discussão entre os dois líderes, não se gerou grande empatia entre os dois grupos, mas, apesar de tudo, as coisas decorreram com uma certa diplomacia. Não falei com Vladimir durante o jantar. Depois de um café quente e de fumar um cigarro, por puro capricho, retirei-me para a minha tenda com um boa-noite insípido.

«No dia seguinte, à hora em que partimos para o Hospital, ainda não tínhamos recebido qualquer comunicação relativamente à situação dos "russos". Foi assim que começámos a denominá-los desde o primeiro dia. De facto, apenas dois elementos da equipa eram russos, mas a identidade do líder fazia com que identificássemos os outros com a sua própria nacionalidade. Não vislumbrei o russo quando me meti no meu *jipe*. Abracei Martim e disse-lhe para não se preocupar com as nossas visitas, que iriam embora dentro de duas ou três noites. Martim acenou com a cabeça, em gesto de compreensão. Nesse dia, mais homens da nossa equipa ficaram no acampamento. Por uma questão de precaução. Pura precaução. Vladimir explicara a Gustavo, enquanto tomavam juntos o café da manhã, em que consistia a sua missão. Mostrara-lhe papéis e documentos de identificação, e Gustavo estava tranquilo. O facto de ter uma tia materna russa devia serená-lo. Eu tinha sido criada a odiar russos, a desconfiar deles. Tinha aprendido que a América era aliada de Portugal, e ainda me recordava do pouco de história que tinha aprendido. Para além de tudo, havia algo em Vladimir que me desassossegava os sentidos. Teimaria em vê-lo como uma ameaça durante algum tempo. Quando, nessa noite, regressámos do Hospital, fui directa para o duche, e preocupei-me mais com a aparência, do que era comum. Lembro-me de que perfumei o corpo com um óleo que alguém me tinha oferecido e que pintei os olhos com um traço de lápis verde, condizente com as minhas calças verde-tropa. Isa, a minha amiga, que nesse dia tinha ficado no acampamento, explicou-me que não tinham visto os «russos» durante todo o dia. Que tinham partido logo depois de nós nos seus *jipes*, carregados de máquinas fotográficas, de bússolas, livros e mapas. Nessa noite, ao jantar, Vladimir sentou-se junto a mim, depois de um *excuse me* rouco e sensual, que me perturbou. Senti o seu braço direito roçar, ao de leve, o meu braço esquerdo desnudado enquanto devorávamos as conservas, as batatas fritas e os legumes cozidos. Durante o café procurei esquivar-me, mas ele insistiu em sentar-se ao meu lado, junto à fogueira. Lembro-me, como se ontem tivesse sido, que me perguntou: *So, you are a doctor, hum? What is a young doctor doing in Mozambique at these times?* Não lhe respondi. Chamei o Martim que brincava junto à fogueira com outras crianças e dei-lhe um beijo longo, enquanto trocava com ele frases em português. Na esperança de que, ao aperceber-se de que tinha um filho, Vladimir desistisse de me aborrecer. Mas Vladimir observava-nos com um sorriso nos lábios. Pedi ao Martim que se fosse deitar e estremeci quando o vi dar um forte aperto de mão a Vladimir.

«"De onde é que conhece o meu filho?" inquiri com agressividade.

«"Daqui mesmo" respondeu serenamente, enquanto acendia o cachimbo e se preparava para escutar a música, que os nativos teimavam em nos oferecer.

«"O Martim não costuma ser tão efusivo com pessoas que não conhece..." observei, desconfiada.

«O russo encolheu os ombros e semicerrou os olhos. À distância que me encontrava dele, os olhos dele não me pareciam reais de tão claros e de tão intensos. Apeteceu-me aborrecê-lo de alguma forma, e assim fiz:

«"Ainda não recebemos qualquer papel a autorizar a vossa presença aqui..."

«"Pois não! O papel há-de chegar. Vai ver..."

«Estava calmo e pacífico. Completamente diferente do homem irado que descobrira no dia em que o conhecera.

«"Afinal o que fazem vocês aqui?" insisti.

«"Trabalhamos!" respondeu, enquanto soltava uma baforada de cachimbo na minha direcção e me olhava com uma intensidade feroz.

«Levantei-me e fui deitar-me. Passaram cinco dias sem que qualquer documento chegasse. Quando finalmente chegou, Gustavo suspirou de alívio e propôs um brinde aos nossos companheiros russos. Nessa noite houve festa. Eu estava demasiado cansada para festejar o que quer que fosse. Vladimir estava embriagado e dançava danças russas com as duas mulheres da sua equipa e, pior que isso, com mulheres da nossa própria equipa. Em muito pouco tempo, tornou-se numa espécie de líder natural dos dois grupos. O próprio Gustavo o idolatrava. Eu estava perplexa com o rápido desenrolar dos acontecimentos. Reconhecia que uma figura como Vladimir trazia uma nova energia e uma nova luz ao acampamento, mas recusava-me a integrar o grupo dos seus fãs. À noite, na protecção da minha tenda, pensava nas razões que levavam as pessoas a gostarem tanto dele. Vladimir era, antes de mais, um homem prático. Sabia cozinhar, montar tendas, arranjar chuveiros e consertar telhados. Gostava de ajudar as pessoas a solucionarem os seus pequenos problemas domésticos, se é que a palavra se pode aplicar àquela situação. Contava as rações e procurava que todos tivessem acesso ao maior número possível de coisas. Era natural e prestável, ainda que não particularmente simpático. Era mesmo sisudo. Mas era alegre, especialmente quando bebia. Quase todas as noites bebia de mais. Em seguida, entoava canções russas e dançava com todas as mulheres livres, que o pretendessem, ou seja, com todas as mulheres, excepto comigo. Era meigo para com as crianças e inventava novas brincadeiras, qual delas a mais ridícula. No final, todos se riam. Chamavam-lhe *Big Dad*, expressão que tinha o condão de me irritar, mas que não perturbava minimamente os pais presentes e muito menos as mães. Vladimir perturbou-me desde o primeiro dia em que o conheci. Mais do que psicológica, a perturbação era física. Atordoava-me os sentidos. Fazia-me sentir confusa, insegura e estúpida. Após três meses no acampamento, começou a falar-me da vida dele. A arrogância inicial desapareceu como que por magia. Deixou de se dar ares de importante e passou a falar da sua família pobre dos arredores de Moscovo. Das noites em que partilhara um arenque com os cinco irmãos. Das noites em que o seu corpo congelara por não ter cobertores. Das noites em que bebera *vodka* para continuar a sentir o corpo. Essas histórias não me comoviam, mas ouvia-as com atenção. Pensava que não passavam de histórias inventadas para me seduzir. Não por sentir por mim o que quer que fosse. Apenas porque eu era a mulher mais difícil do acampamento. A única com quem não teria conseguido dormir. Vladimir montara uma tenda grande no lado sul do acampamento, e era rara a noite em que não fornicava com uma mulher. Este facto era aceite por todos com uma enorme naturalidade. Um clima de lascívia e libertinagem começava a instalar-se no acampamento, e, em noites de calor sufocante e lua cheia, temia que todos mergulhassem numa orgia. Gustavo andava radiante. Não ocupava a posição de macho dominante mas acabava por retirar alguns frutos do clima de libertinagem que se impusera. Desde que Vladimir chegara que, apesar dos seus sessenta anos, conseguira manter relações sexuais com as duas mulheres da equipa do russo. Eu começava a temer por Martim. O meu filho tinha, na altura, quatro anos, e não se apercebia de nada do que se passava. Continuava a ser feliz, tratava Vladimir por «*Big Dad*» e adorava-o. Não havia nada que eu pudesse fazer para travar o processo de «decadência» do grupo. Na realidade, o trabalho da equipa de saúde prosseguia dentro dos moldes previstos. Vladimir conseguira mais fundos para o acampamento, com os quais a nossa equipa acabara por lucrar e todos lhe estavam gratos por isso. Mais fundos significava mais material de apoio e mais medicamentos. Mais e melhores meios para combater as doenças. Como médica também eu lhe estava grata por isso. Apesar de tudo, mantinha-me na defensiva. Tudo estava, de facto, melhor desde a chegada dos «russos». O meu segundo ano de trabalho em África estava a chegar ao fim e temia que não me prolongassem o contrato por questões orçamentais. O projecto de Vladimir tinha a duração prevista de três anos, pelo que ele contava com mais dois anos em Moçambique. Dizia-me que nunca tinha sido tão feliz, mas falava das saudades da sua mãe-pátria — a Rússia. Nas férias do Natal e nas férias de Verão partiu para a sua grande Rússia e eu para o meu pequeno Portugal. Despedimo-nos com um estúpido aperto de mão que eu conseguira instituir entre nós. Nas férias que passei em Lisboa foi-me inevitável sentir saudades. Em Julho de 1995, o meu divórcio saiu. Soube-o em Agosto, em Lisboa. Pouco tempo depois, fui informada de que podia continuar mais um ano em Moçambique. Num acto de insensatez, procurei, no meio dos meus papéis, o número de telefone de Vladimir. Ele tinha insistido em dar-me o número para o caso de eu necessitar de algo. Telefonei-lhe. Atendeu-me uma voz de mulher jovem, que me explicou, num inglês estremecido, que Vladimir estava nas saunas. O som era péssimo. Voltei a ligar à noite. Dessa vez, foi ele quem atendeu o telefone. Ficou surpreendido ao ouvir a minha voz. Confessou que eu seria a última pessoa do mundo que esperava ouvir. Cortou-me um pouco o entusiasmo, mas, apesar disso, contei-lhe as duas boas-novas. Primeiro a prorrogação do contrato, depois a oficialização do divórcio. Pareceu-me pouco entusiasmado. Arrependi-me imediatamente de lhe ter telefonado. Desliguei o telefone e desatei num pranto sem fim. Passei Agosto na ressaca do telefonema. Pensava nele todas as noites, e as saudades que o Martim me confessava sentir dele apenas intensificavam as saudades que eu própria sentia. Num fim de semana em Tróia, confessei a minha paixão à Isa, a minha melhor amiga. A Isa vivera comigo e com Vladimir em Moçambique ao longo de todo o último ano. A sua opinião era importante para mim. Ouviu a minha história com atenção, mas não me pareceu particularmente entusiasmada. No final observou:

«"Esse homem não me parece recomendável!"

«"Porquê?" perguntei assombrada.

«"Cá para mim tem jogo de cintura a mais."

«"Como assim?"

«"Um homem que dorme com todas as mulheres do acampamento? Não! Não me cheira. Estás a cair como uma patinha. E com a tua idade, de patinha já devias ter pouco!"

«"Estás louca? O que sabes tu dele?"

«"O que tu me contas."

«"Mas... se eu só te conto coisas boas..."

«"Por isso mesmo! Esse homem vai dar-te cabo da vida."

«"Vai dar-me cabo da vida?"

«"Precisamente!"

«"E porquê?" inquiri, irritada, enquanto a seguia junto à beira-mar.

«"É muita fruta!"

«"Mas tu estás louca, não?"

«"Isso parece um filme, e as nossas vidas não são nenhum filme, percebes?"

«"E se eu quiser que a minha vida seja um filme?"

«Isa parou e olhou-me nos olhos. Irritada. Profundamente irritada:

«"Olha, faz-te actriz de cinema. Assim escusas de sofrer."

«"Mas o que sabes tu da minha vida?" gritei. Mas Isa afastara-se no areal. Deixara de me ouvir. Lembro-me de ter ficado feliz por ela não voltar para Moçambique.

«Regressei a Moçambique em Setembro de 1995. Com o Martim pela mão. Carregada de presentes para os "russos". Comprara a Vladimir um livro em inglês sobre Portugal. Comprara-lhe, ainda, uma lupa de prata porque apercebera-me de que a dele estava velha e riscada. Foi buscar-nos ao aeroporto. Não fiquei surpreendida por vê-lo. O Martim correu ao seu encontro e abraçaram-se. Os meus olhos cobriram-se de lágrimas. Quando, por fim, ficámos os dois frente a frente, estendeu-me a mão com ironia, mas abracei-o com força. Pareceu surpreendido. Corei. Colocou as minhas malas no *jipe*.

Mais malas do que alguma vez trouxera. Repletas de roupas, perfumes e acessórios. Ainda no *jipe* atirei-lhe os presentes para o regaço. Desajeitadamente. Olhou-me, lisonjeado e sorriu.

«"Não lhe trouxe nenhum presente, Doutora" desculpou-se.

«"Não faz mal, Professor."

«Ajudou-me com a tenda, enquanto eu distribuía os chocolates que tinha trazido, pelos russos e pelos meus amigos. Depois do jantar, Vladimir abriu, cuidadosamente, os seus presentes, debaixo de um luar claro e quente, perfumado pelo aroma da terra fértil e pelas velas de cheiros. Folheou o livro com vagar e perguntou-me se era então assim o país em que eu vivia. Acenei afirmativamente com a cabeça. Perguntou-me se não havia neve. Expliquei-lhe que só na Serra da Estrela e só nos meses mais frios do ano.

«"Que pena!"

«"Gostas muito de neve?"

«Acenou afirmativamente. Tinha os olhos molhados.

«"E tu?"

«"Eu o quê?"

«"Gostas de neve?"

«"Muito!"

«"Então vais até à tal serra?"

«Ri.

«"Pois, que remédio! A Serra da Estrela."

«Repetiu o nome com um sotaque engraçado. Rimos os dois como dois putos a namorar às escondidas. Depois abriu o embrulho que continha a lupa. Contemplou longamente o estojo de camurça e disse:

«"Gastaste um dinheirão! *A lot of money*»*!* *A lot of money!*" repetia sem cessar. Apetecia-me dizer-lhe que com ele gastaria todo o dinheiro do mundo, mas não disse nada. Fiquei a vê-lo a observar a lupa de prata e a revirá-la entre os dedos. Parecia uma criança deslumbrada com um presente.

«"Não costumo receber presentes! Não sei o que te dizer..." sussurrou, nitidamente embaraçado.

«Eu estava profundamente comovida com a comoção dele. A lua redonda em cima de nós. O ar quente. O cheiro do corpo dele a dois palmos do meu.

«"Nunca recebia presentes quando era pequeno. Não havia dinheiro para comer... quanto mais para presentes. Ainda hoje é raro darem-me um presente..."

«Num impulso, beijei-o, de repente. Ele correspondeu. Foi muito intenso. O meu corpo estremeceu numa espécie de espasmo. Soltei um gemido. A boca dele era quente e perfumada. A língua deliciosa e forte. Um beijo longo durante o qual me senti despertar para tudo o que ele quisesse. Tinha passado todas as férias a pensar que o desejava e que, mais cedo ou mais tarde, algo teria de acontecer entre nós. Não tinha pensado em detalhes. Fora apanhada de surpresa numa armadilha que eu própria montara para ele. Lembro-me de que vestia um vestido leve, de musselina branca, algo transparente, e que estava queimada das férias de Verão. O meu corpo estava ávido de um homem, depois de mais de dois anos de recato. Ele pegou-me ao colo e levou-me para a tenda dele. Perfumada a lavanda e outros óleos. Deitou-me num colchão quente e macio e começou a despir-me com um vagar excitante. Peça a peça. Eu sentia-me incapaz de oferecer qualquer tipo de resistência física aos seus avanços, e isso encantava-me. Já não me recordava da última vez em que tinha estado com um homem. De facto, quando me afastei do Vasco havia já algum tempo que os nossos corpos não se encontravam. Talvez por isso tenha sentido o que senti nessa noite. Ele segredava-me palavras em russo, de que eu não conhecia o significado e cujo significado pouco me importava. Sentia cada coisa que me fazia como se fosse a última que sentiria na minha existência. Ele era um amante treinado, atento e envolvente. O seu hálito era quente e perfumado a álcool. O corpo forte e dominador. Gostei da sensação de ser dominada, ainda que de um domínio subliminar se tratasse. Não sei o que mais poderei dizer sobre o que se passou entre nós. Estas coisas não existem para serem descritas. Ou se sentem, ou não se sentem. E eu senti-as. Isso ninguém me tira.

Matilde fita Lurdes com um olhar triunfante. Lurdes não reage. Parece imersa na narrativa.

— Dormimos juntos toda a noite. Nus. Completamente nus. Não estava habituada a dormir assim. Para mim foi uma novidade. No dia seguinte, quando acordei, Vladimir não estava na tenda. Deixara-me um bilhete em que dizia: «O trabalho impõe-se. Tem um bom dia.» Levantei-me, zonza e percebi que era meio-dia e que os meus colegas há muito tinham partido para o Hospital. Passei o dia enebriada. Brinquei um pouco com o Martim e com as outras crianças. À noite desculpei-me perante os outros com um «adormeci», mas ninguém parecia muito preocupado com a questão. Como se todos soubessem precisamente o que se tinha passado. Enviavam-me sorrisos compreensivos. Evitei cruzar o olhar com Vladimir. O que se passara na noite anterior impedia-me que o encarasse com naturalidade. Ele também parecia evitar-me. Tive medo de o ter perdido. Lembrei-me das advertências da Isa. Retirei-me para a tenda. Despi-me e enfiei-me dentro do saco-cama. Não sabia o que pensar, nem o que fazer. Por volta da meia-noite Vladimir entrou na minha tenda. Abriu o saco-cama e contemplou-me nua. Longamente. Como se estivesse num mercado de escravos e avaliasse se eu valia a pena, pensei na altura. Os seus olhos efervescentes de desejo. Como no dia anterior. Percebi que me continuava a desejar como na véspera. Fizemos amor como dois selvagens. Ele abafava os meus gritos com a mão esquerda e ameaçou ir-se embora se eu continuasse a gritar. Mas o prazer que sentia era insuportável. Não o conseguia gerir. Era tão grande que não o absorvia. Com o tempo ensinou-me a absorvê-lo, a senti-lo, a viver com ele. Era muito dominador na arte do amor. Ensinava-me, dirigia-me, forçava-me. Eu adorava ser submissa. Pela primeira vez, percebia o encanto de ser submissa a um homem durante o acto sexual. Sentia-me uma discípula motivada e atenta, sedenta de todo e qualquer ensinamento do mestre. Foram tempos terríveis! Dias longos a combater a morte e noites longas de prazer e loucura. Vivemos assim durante três meses. Três meses de encontros nocturnos diários. Durante o dia, pouco falávamos. À noite, cometíamos loucuras, pecados carnais, experimentávamos coisas que nunca antes me tinham passado pela cabeça ou que a minha formação falsamente puritana me tinha impedido de conceber. Todos pareciam conhecer o nosso segredo e aceitá-lo sem comentários. Ao fim desse tempo de intensa «fornicação», este será o termo mais adequado para o que fazíamos no interior daquela tenda, Vladimir começou a deixar transparecer sinais de algum cansaço. Começou a dar atenção a outras mulheres. Senti-me usada e humilhada. Não percebi que o fazia para se preservar e, de certa forma, para me preservar a mim. Era impossível viver mais tempo enredados nas chamas daquela paixão avassaladora. Andávamos os dois exaustos. Vladimir não tinha a mesma idade que eu. Começava a descurar o trabalho e os prazos que tinha atrasavam-se sucessivamente. Explicou-me tudo isso numa noite em que fui ter com ele à cabana a chorar de raiva. Mas não acreditei nele.

«"Fartaste-te de mim! Era inevitável! Era só uma questão de tempo."

«Acenou negativamente com a cabeça. Gritou: *"No, it is not true! You must know that!"* Saí da tenda aos soluços. Não foi atrás de mim. Uma semana mais tarde, deu a missão por abortada e partiu com toda a sua equipa. Era véspera de Natal. Foram dias muito tristes para todos. De um sofrimento horrível para mim. Via as pessoas a chorar, agarradas aos "russos" e via o meu filho a soluçar de dor. Vladimir distribuía sorrisos amarelos por todos e explicava que nos encontraríamos em breve. Ninguém acreditava nisso. Talvez porque era nítido que ele não acreditava nas suas próprias palavras. Despediu-se de Martim com um abraço longo e um *"take care"* que me estilhaçou por dentro. Odiei-o. De morte. Como podia ele jogar assim com as pessoas, com os sentimentos das pessoas? Como podia ele jogar assim com os sentimentos de uma criança de cinco anos, que lhe chamava «*Big Dad*». Foi terrível! Simplesmente terrível! Quando passou por mim, estendeu-me a mão e eu empurrei-a com uma violência desconhecida. Olhou-me com os mesmos olhos azuis transparentes com que me seduzira desde o primeiro momento, e não disse nada. Retirou da mochila uma treta de um cartão da universidade e rabiscou nele o meu nome e o dele, rodeados por um coração. Agarrei o cartão, com desprezo, e apeteceu-me bater-lhe. Não disse nada. Nem sequer me tocou. Pensei que a minha vida tinha chegado ao fim. Depois daquela dose, a minha vida não fazia qualquer sentido. Viver longe dele era-me inconcebível. Desapareceu no *jipe* no meio de uma nuvem de pó. Da minha cabeça nunca iria desaparecer. Tão simples quanto isso. Regressei a Portugal quinze dias mais tarde. Era-me impossível viver sem ele no sítio em que partilháramos tudo. Passei o Natal sozinha em Lisboa. O Martim foi passar o Natal com o pai.

XV

Manuel reencontrou Matilde onze anos depois do triste encontro no Jardim de Belém. Na mansão do Restelo. Doroteia chamou-o de urgência, devido a um surto esquizofrénico de Salvador. Estes pedidos de auxílio domiciliar sucediam com alguma regularidade, e Manuel estaria longe de imaginar que houvesse a mínima possibilidade de se cruzar com Matilde. De facto, se o imaginasse, decerto teria pensado numa solução alternativa, como mandar em seu lugar um colega da sua confiança. Entrou na mansão, subiu apressadamente as escadas e, ao lado do leito de Salvador, deparou com Matilde. Fitaram-se longamente. Sentiu o corpo estremecer, as faces ruborizarem-se, o coração acelerar, as palmas das mãos arrefecerem e os olhos humedecerem. Tudo ao mesmo tempo. Sem possibilidade de controle. Soletrou um «boa-noite» baixo, a que ela respondeu, como que em eco. Ergueu-se da cadeira em que estava sentada, e, silenciosa, afastou-se, para que mais facilmente ele pudesse observar Salvador. Manteve-se queda, atrás dele, uma presença silenciosa e densa que lhe perturbava os movimentos e o impedia de pensar. Ele pressentia o seu respirar doce, nas suas costas, protegida entre as sombras do quarto. O seu respirar doce. O calor do eterno e incontornável *Haute Couture* a abafar-lhe os gestos. Quando, finalmente, Manuel conseguiu que Salvador sossegasse sob o efeito dos medicamentos, ela retornou, vagarosa, para junto de Salvador, pegou-lhe na mão esquerda e desenhou nela festas sem fim. Salvador estava sedado sob o efeito dos medicamentos.

Manuel a contemplá-la, na penumbra do quarto, sob a luz de final de tarde filtrada pelas cortinas de tule, com o vagar de séculos, a medo, palmo a palmo, visivelmente emocionado. Descobriu-a, com o olhar e com o coração, mais velha, mais gorda, com um ar cansado e adoentado. Olheiras profundas cavavam-se sob os seus olhos de um preto agora acinzentado, e veio-lhe à memória o entusiasmo que ela imprimira à última conversa, o riso da sua voz, o brilho dos seus olhos.

— Estás na mesma, Manel! — murmurou a voz rouca e densa de sempre, sem mesmo o olhar.

Ele esboçou um trejeito de lábios. Não poderia ele dizer o mesmo em relação a Matilde. Pareceu-lhe que ela ajeitou o cabelo com a mão, mas seria apenas um trejeito recente, desconhecido.

— Sei que estiveste no Tibete... — prosseguiu a voz.

— Pois foi...

— Deve ter sido bom!... — insistiu.

— Foi bom!

Um silêncio profundo envolveu-os, apenas perturbado pela respiração pesada do Salvador, no leito.

— Tenho tido tantas saudades, Manel!... — A voz dela emocionada, ameaçando transformar-se em choro.

Ele baixou os olhos até ao chão, subitamente envergonhado. Depois recompôs-se ao pensar no tal Vasco.

— E o teu marido?! — perguntou numa voz, subitamente ríspida, que soou a falsete.

As faces dela ruborizaram-se. Os olhos sempre baixos.

— O meu ex-marido... — soletrou devagar.

Silêncio longo e pesado.

— Não sabia... — articulou ele.

— Pois... a vida nem sempre é como sonhamos...

Ele acenou com a cabeça, em gesto de concordância, sem ousar olhá-la.

— Pois...

Silêncio. Ele aproximou-se mais da cama e aconchegou o lençol de Salvador. Por não saber o que fazer com as mãos. Sem sentir nada, mas com uma vontade estúpida e repentina de a abraçar.

— E o miúdo? Soube que... tiveste um filho... — insistiu ele, apenas para preencher o silêncio ente os dois.

Ela sorriu, levemente.

— Graças a Deus, o Martim está bem! Está com dez anos. — informou, com um brilhozinho babado nos olhos escuros.

— Idades complicadas! — observou ele. Muito sério, com o tom neutro de quem fala do aumento da inflação.

— Demasiado! — concordou ela.

Um frente ao outro. Sem saberem o que dizer. Com a cama de Salvador ali ao meio. Cúmplices no silêncio de final de tarde.

Foi assim que Manuel reencontrou Matilde. Depois desse dia outros encontros se seguiram. Sempre com Salvador como mote.

XVI

A morte do pai deixou em Matilde uma sensação de abandono.
O funeral teve lugar no dia 1 de Janeiro de 2000. Nada melhor para
começar um novo ano. Nessa noite, sentiu-se muito sozinha. Muito
sozinha. O Martim tinha ido passar uns dias a casa do pai. Por volta
das dez horas da noite o telefone tocou. Atendeu como uma sonâmbu-
la. Do outro lado da linha, a voz rouca de Vladimir. Há estranhas
coincidências de que a vida é feita. A voz dele do outro lado da linha.
Ouvia-se mal. Havia muitas interferências na ligação. Parecia inquieto. Perguntou-lhe como estava com a naturalidade de quem falara
com ela na véspera. Matilde respondeu que acabava de chegar do
funeral do pai. Vladimir comoveu-se. A sua voz adensou-se. Deu-lhe
os pêsames e perguntou-lhe de novo como estava. Ela confessou-
-lhe que estava mal. Exausta, no fundo do poço! Ele revelou-lhe que
tinha saudades suas e que a queria ver. Matilde pensou se ele o teria
dito noutras circunstâncias. Sentiu que ele tinha pena dela. Lembrou-
-lhe que não se viam há mais de quatro anos. Recordou-lhe também
que tinha recebido uma carta dele em Dezembro de 1996 em que ele
explicava, com uma serenidade inusitada, que era casado e que amava
a mulher. Ele protestou. Lembrou-lhe que nessa mesma carta também dizia que a tinha amado muito e que nunca a esqueceria. Matilde
chorou. Foi um telefonema longo. Terá custado uma pequena fortuna, mas Matilde pouco se importou com o facto. Vladimir terminou
o telefonema com a promessa de que lhe escreveria brevemente. Decorrido um mês, Matilde recebeu uma carta de Moscovo. Do departa-
mento de Arqueologia da Universidade de Moscovo. O texto da carta
era breve. Nele, Vladimir dizia que continuava casado. Explicava que
tinha um filho. Acrescentava que lhe era impensável abandonar a

mulher. Que a sua missão era sustentar a família. Que, se partisse da Rússia, nada nem ninguém poderia garantir o bem-estar dos seus pais. Lamúrias atrás de lamúrias. No final dizia que a amava e que precisava de a ver. Pedia que lhe desse sugestões de datas e locais onde se pudessem encontrar. O teor da carta não a comoveu. A sua realidade cultural era completamente diferente da dele e, de qualquer forma, ela sempre o considerara um fraco. Queria manter a mulher e a amante. Homens assim causavam-lhe uma sensação de nojo. Não tinham respeito pelas mulheres, nem pelas amantes e nem por eles mesmos. Era exactamente isso que lhe apetecia dizer por escrito. Não o fez. Escreveu-lhe uma carta seca e breve, na qual lhe explicava que não sairia do país nos próximos meses. Que, como se deveria lembrar, tinha um filho para cuidar e que o seu trabalho não se compadecia com pausas para romances. Não conseguiu deixar de acrescentar que iria passar a primeira quinzena de Agosto à ilha da Sardenha. Que ficaria num hotel em Santa Teresa Gallura, que, de acordo com a informação que lhe tinham dado, era um dos sítios mais bonitos da ilha. Não recebeu qualquer resposta de Vladimir. Concluiu que o tom da carta o teria desencorajado. Teve vontade de lhe telefonar, mas anteviu ser atendida pela voz feminina que a atendera anos atrás, e que, decerto, seria a voz da sua esposa russa. Vladimir nunca esteve longe dos seus pensamentos. Depois da separação em Dezembro de 1995, Matilde procurou estabelecer relacionamentos com outros homens, mas as suas tentativas apenas resultaram em frustrações. Todos os homens que conhecia eram comparados com Vladimir, e as comparações eram-lhes sempre desfavoráveis. Na realidade, a ida à Sardenha constituía uma tentativa de conhecer homens italianos. Isa tinha estado na ilha, no ano anterior, e tinha-se apaixonado por um italiano lindíssimo, que lhe dera a volta à cabeça por algum tempo.

No dia 1 de Agosto de 2000 Matilde apanhou um avião para Roma-Fiumicini e, em Roma, novo avião para o aeroporto de Olbia, um dos aeroportos da Sardenha. O bilhete incluía *transfer* até ao hotel Club Sardenha. Um italiano exuberante acompanhou-a até ao seu táxi e seguiram viagem a cem à hora por entre curvas e contracurvas. Na rádio, música italiana da moda e relato do jogo Parma-Roma. O hotel estava, tal como Isa comentara, muito bem localizado, desenvolvendo--se em apartamentos, ao longo de um planalto de pedra. O planalto atapetado de relva e plantas locais. Lagartixas e rãs passeavam por entre os pés dos turistas. Lá em baixo, a praia, de areia grossa, e mar de azul de folheto turístico. Convidativo. Instalou-se no apartamento 307, pintado em tons ocre e com vista sobre a praia. Mobiliário rústico, chão de mosaicos de tons azuis, um pequeno terraço sobre o Mediterrâneo. Um convite sedutor ao *dolce fare niente*. Por todo o lado pairavam casais de namorados, e Matilde apercebeu-se de que era uma das poucas mulheres que se encontravam sozinhas. No primeiro dia de praia, ao alugar um espreguiçadeira e um guarda-sol, encontrou-se literalmente rodeada por inúmeros italianos sedentos de *flirts* de Verão. Resistiu estoicamente. Na noite de dia dois, depois de uma *cena* (jantar) substancial, perguntou na recepção que passeios lhe sugeriam. O italiano encarregue dos passeios, que por acaso era o mesmo que passava o dia na praia a seduzir as estrangeiras do hotel e a convidá-las para passeios de vespa, apressou-se a explicar que a poderia levar aonde ela quisesse: sugeriu dar um salto à Córsega, que se avistava da praia, ou acompanhá-lo de vespa até à Baía Sardinia. Matilde torceu o nariz e despediu-o com um *buona sera*. De regresso ao quarto, o telefone tocou. Atendeu, convencida de que se tratava de novo do italiano insistente, mas o recepcionista informou-a, num tom em que se pressentia ironia, que estava um homem na recepção, que lhe queria falar. Pensou tratar-se do italiano, e agradeceu sem mais comentários. Sentou-se no terraço a contemplar o Mediterrâneo. Estava uma temperatura morna e os vinhos aromáticos do jantar faziam com que se sentisse especialmente relaxada. Àquela hora da noite, os hóspedes concentravam-se na recepção do hotel a ouvir música ao vivo e a beber. A celebrar o Verão e os *flirts*. Por momentos, pensou que tinha feito mal em ter ido sozinha para uma ilha tão romântica. Envolta nesses pensamentos, apercebeu-se de passos que subiam os degraus de pedra que davam acesso àquela zona de apartamentos. Os passos eram acompanhados pelo arrastar de uma mala. Não era fácil transportar uma mala até ali. O seu apartamento ficava quase no cume do planalto, e era necessário subir muitos degraus. A sua mala tinha sido trazida por um italiano simpático, que acumulava a função de transportador de malas com a de cantor e *entertainer* no bar do hotel. Os passos de quem se aproximava estavam cada vez mais próximos, e do terraço era-lhe agora possível escutar a respiração ofegante de quem se aproximava. Matilde pensou que, quem quer que fosse, deveria ter alguma idade, para revelar uma tão grande dificuldade em fazer aquela escalada. Não lhe era necessário esticar a cabeça para conseguir vislumbrar de quem se tratava. Bastava que olhasse em frente. Foi precisamente isso que fez. Olhou e viu Vladimir. Vladimir Krapov. Vermelho, exausto e carregando atrás de si uma mala que parecia pesar pouco menos de uma tonelada. Matilde ergueu-se da cadeira, num pulo. Vladimir assustou-se ao vê-la. De-

pois sorriu. Um sorriso enorme. Deu dois passos até ele. Abraçaram-
-se. Matilde ajudou-o a transportar a mala para o interior do pequeno
apartamento. Vladimir atirou-se para cima da cama e assim ficou a
recuperar o fôlego durante alguns minutos. Matilde arranjou-lhe um
copo de água gelada, que tinha no frigorífico, e ele bebeu-a de um só
gole. Com a respiração mais normalizada, ele explicou-lhe que a tinha
encontrado com alguma dificuldade. Sabia que estaria na zona a
partir de 1 de Agosto, mas fora ter ao hotel errado. Não percebia uma
palavra, e os italianos não faziam o mais pequeno esforço por falar
inglês. Russo muito menos. Riu entusiasticamente. Tinha passado a
primeira noite num outro hotel, porque os italianos tinham confun-
dido o nome de Matilde com o de uma outra hóspede portuguesa.
Tinha sido uma enorme confusão. Depois, com a ajuda de um inglês,
que falava algumas palavras de italiano, conseguira confirmar que
Matilde estava registada no hotel em que agora se encontravam.
Tinha chegado o mais depressa que pudera. Matilde olhou-o, enterne-
cida. Esqueceu-se do que lhe dissera na última carta. Abraçaram-se
em cima da cama e beijaram-se longamente. Foi muito estranho.
Sentiu que o conhecia desde sempre e tudo se passou de uma forma
muito natural. Fizeram amor apaixonadamente. Como se ontem tivesse sido a última vez. Depois Matilde ajudou-o a desfazer a mala.
Vladimir tomou um duche demorado e voltou para a cama, de toalha
branca enrolada na cintura. O seu corpo continuava robusto e mus-
culado, tal como Matilde o lembrava. Os olhos, daquele azul inquie-
tante que fulminava a alma e a fazia enlouquecer de desejo. Puseram
a escrita em dia em pouco tempo. Matilde falou-lhe de Martim e da
morte do pai. Do dia-a-dia no hospital e dos fins-de-semana em
Tróia. Vladimir falou-lhe do seu trabalho. Apenas do seu trabalho.
Sempre que Matilde procurava abordar a temática da sua família,
tornava-se vago e evasivo. Quando Matilde lhe procurou dirigir questões mais directas, respondeu que não queria falar do assunto. Ela
quis saber quantos dias ele contava ficar. Sabia que ele não se daria ao
luxo de fazer pausas longas. Ele explicou que tencionava ficar duas
semanas, o que a deixou feliz e perplexa. Ele acrescentou que tinha
trazido trabalho. Apontou para as dezenas de compêndios e manuais
que tinha tirado da mala e com que tinha preenchido metade do
guarda-roupa. Soltou uma gargalhada e acrescentou: «Vim estudar
os nuragues.» Ela fitou-o, perplexa e retorquiu: «Pensei que tivesses
vindo para estar comigo.» *Both*, respondeu ele enquanto lhe fazia
festas na palma da mão. Depois acrescentou: «Quando em Janeiro me
falaste da Sardenha, tratei de procurar o que podia fazer nesta ilha.

125

Descobri um projecto de estudo dos "nuragues". Existem aproximadamente sete mil estruturas na ilha e pouco se sabe sobre elas.» Matilde soltou um suspiro.

— Com sorte vejo-te à noite... — sussurrou.

— Sem dúvida ver-me-ás à noite! — confirmou ele, com um sorriso de malícia a toldar-lhe os olhos.

E assim foi. De acordo com o prometido. No dia seguinte, após uma noite de amor, tomaram *la colazione* (pequeno-almoço) juntos no restaurante do hotel e, em seguida, Vladimir pediu um *pranzo al sacco*, o que significava que levava o almoço num saco e que não estaria no hotel à hora de almoço. Matilde tinha escolhido um regime de pensão completa e foi-lhe difícil explicar à empregada que apenas pretendiam um *pranzo al saco*. Vladimir impacientava-se com a teimosia dos italianos em falarem italiano com estrangeiros.

— Mas quem pensam eles que são? Afinal que raio de língua é esta? Eu não falo italiano e acabou.

À saída do restaurante o italiano charmoso atirou a Matilde um olhar sedutor. Vladimir inquietou-se:

— Afinal, quem é este espécime e por que é tão íntimo contigo?

Matilde explicou-lhe que os italianos são sedutores vinte e quatro horas por dia com todas as mulheres e Vladimir partiu, resignado, ao volante de um *Ford Fiesta* preto alugado, munido dos seus habituais apetrechos de pesquisa. Tinham feito amor três vezes durante a noite, e Matilde sentia-se exausta. Seguiu a pé para a praia que se estendia junto ao hotel e dormiu o resto da manhã. Da parte da tarde, recebeu as visitas dos italianos habituais e explicou-lhes, sedutora, que o seu marido não tardaria a regressar e que era muito violento e ciumento. Não deverá ter sido particularmente convincente porque os italianos não a abandonaram por um segundo. Por volta das seis horas da tarde, Vladimir regressou do seu «trabalho» e procurou Matilde na praia. Encontrou-a, beijou-a, deu um mergulho no mar e voltou para junto dela, refrescado e com as energias renovadas. Beijou-a, lentamente, e demarcou território face aos italianos que observavam a cena, curiosos. Falou-lhe dos nuragues. Explicou-lhe que datavam de 1500 a 1400 a. C. e que consistiam em pequenas e intrincadas figuras cónicas construídas com enormes blocos de basalto empilhados, retirados de vulcões extintos. Acrescentou que pouco se sabia acerca do povo nurague. Que deveria ser um povo organizado que dominava a engenharia, apesar de não subsistir qualquer registo escrito. Havia séculos que o mistério deste povo intrigava os sardenhos. Algumas das estruturas eram fortalezas com poços e outras apresentavam estruturas defensivas. Acrescentou ter estado em nuragues na zona norte da ilha, bem como no museu de etnologia de Sassari a falar com o director sobre a questão. Lamentou-se da forma de conduzir dos italianos e falou de uma fonte de Rosello que vira em Sassari e que considerava de um mau gosto raro. Acrescentou que, no dia seguinte, planeava ir a Castel Sardo. Acompanhado. Explicou que havia lá um museu etnográfico que lhe interessava visitar. Matilde acedeu a acompanhá--lo, apesar de visitas a museus etnográficos não corresponderem à sua ideia de férias. Regressaram ao apartamento e tomaram duche juntos. Um duche longo. Despertos pelo calor da ilha e pelo sal da água nas suas peles. Depois do jantar, dançaram abraçados no bar do hotel, sob o olhar irónico dos italianos frustrados. No dia seguinte, partiram rumo a Castel Sardo. No museu, Matilde observou artefactos diversos em palha em que não encontrou o menor encanto. Vladimir fotografou-os exaustivamente, comprou livros em inglês no museu e tirou apontamentos. Regressaram tarde ao hotel mas ainda a tempo de um mergulho ao pôr do Sol. Despiram-se dentro de água e ela sentiu o corpo dele colado ao seu, quente e excitado. Pensou que aquelas férias a iriam deixar exausta. No dia seguinte, ficou no hotel enquanto ele partia para as suas investigações. Dormitou estendida na areia e, por sugestão dos italianos, comprou uns óculos de mergulho. Descobriu cardumes de peixes de mil tons, e os italianos explicaram-lhe que era ao pé das rochas que os poderia encontrar em maior número. Quando Vladimir regressou, gritou furioso com os italianos e levou Matilde, a nado, até uma enseada não muito distante onde fizeram amor como dois selvagens. Nessa noite, Matilde sentiu-se deslumbrante no seu minivestido branco. Estava queimada como uma ostra, e a sua pele perfumada a sal deixava Vladimir fora de si. Dançaram até de madrugada e no dia seguinte Vladimir «faltou ao trabalho». Apenas saíram juntos mais um dia. No dia em que foram a Porto Cervo, uma das estâncias turísticas mais caras da Europa. No centro comercial de Porto Cervo, cruzaram-se com personagens conhecidas do *jet-set* internacional e viram as montras das lojas das marcas mais caras do planeta: Prada, Versace, Gucci, Cartier, Cerruti, entre outras. Vladimir desprezava os valores da sociedade de consumo e Matilde resistiu a fazer algumas compras. Se as fizesse, seguir-se-ia um discurso longo sobre capitalismo, Estados Unidos e ex-União Soviética, valores ocidentais e por aí fora. Pararam o carro numa praia deserta na zona da Baía Sardínia. Da praia, avistava-se uma tabuleta com a indicação *proprietà privata*. Uma belíssima casa à beira da praia e um ancoradouro de onde, de barco particular, se poderia partir à descoberta do mundo. Foi isso que Vladimir murmurou ao ouvido de Matilde, enquanto a despia na areia, indiferente à tabuleta: «Quero partir contigo deste ancoradouro a bordo do nosso barco. Partir à descoberta do mundo.» «E o dinheiro?», pensou ela, mais realista. Sem ter muito dinheiro, é difícil alimentar sonhos desse tipo. De regresso à praia do hotel, um preto envergando uma espécie de longa toga às flores e óculos escuros, tentava vender páreos, chapéus (trazia uma pilha em cima da cabeça), relógios de pulso (que preenchiam os seus dois pulsos) e sacos de praia. Uma loura anoréctica, de gestos lentos e dormentes, observava a mercadoria com uma espessura teatral. Vladimir observava-a, crítico. A sociedade de consumo causava-lhe náuseas. À noite, no quarto, perguntou-lhe:

— Se te faz confusão gastar dinheiro, como é que compras as tuas antiguidades?

— É o meu único vício! — respondeu, evasivo.

No dia 15 de Agosto partiram para o aeroporto de Olbia, conduzidos por um italiano desvairado e aparentemente bêbedo. Ambos apanharam um avião para Roma. Dormiram durante o voo, de mãos dadas, como dois namorados de há muito. Como que desconhecendo que se separariam em Roma. Quando chegaram a Roma, comeram uma sanduíche. O avião para Moscovo-Sheremetyevo partia no espaço de uma hora. O avião de Matilde só partiria ao final do dia. Acompanhou-o até à zona de embarque. Despediram-se com um beijo longo e molhado. Os olhos dele, intensos, mergulhados nos dela, húmidos. Sem esboços de promessas. Com os telefones escritos nas respectivas agendas. Até um dia, suspirou ela. «*See you soon*», respondeu ele. Matilde ficou a vê-lo desaparecer na manga de acesso ao avião. Uma lágrima teimosa rolou pela sua face. Furiosa consigo mesma, decidiu ir até ao centro de Roma. Tinha tempo de sobra para o fazer e não queria ficar a chorar numa cadeira do aeroporto. Era meio-dia, e o avião só partiria às oito horas da noite. Apanhou o comboio para o Terminal de Roma e depois o autocarro para a Piazza Navona, local de visita obrigatória sempre que ia a Roma. As horas que passou em Roma, em vez de lhe desanuviarem o espírito, apenas contribuíram para que se sentisse mais infeliz. Reconhecia imensos defeitos em Vladimir, mas estava cada vez mais convicta de que lhe seria difícil viver sem a ilusão de o reencontrar. Apesar da mulher e do filho que ele tinha na Rússia. E dos pais para sustentar. E da vida dele que ele afirmava estar a anos-luz da sua. Da pobreza e da miséria que ele tinha vivido. E do horror que nutria pela cultura ocidental que fluía nas veias dela. Tinham o mundo a separá-los. Mas ela amava-o! Não podemos escolher as pessoas que amamos. Elas impõe-se-nos. São inevitáveis na nossa vida, condicionam-nos a existência e, geralmente, fazem-nos verter lágrimas amargas. Eram estes os seus pensamentos no avião para Lisboa. Com Vladimir impregnado no seu corpo, com o toque dele nas mãos e o cheiro dele entranhado na sua pele. A preencher-lhe o pensamento e a acelerar-lhe o coração.

De novo em Lisboa. Sem Vladimir. Um vazio enorme a tomar conta de si, a preenchê-la. Tinham acordado não se telefonarem e não se escreverem. Para conseguirem viver as suas vidas sem sobressaltos. E, no entanto, Matilde passava horas à espera do toque do telefone. Horas imersa na penumbra da sala de Santos, a fixar aquele objecto preto, com ansiedade e apreensão. Nas raras ocasiões em que o aparelho preto libertava um som, outra voz, que não a dele, do outro lado da linha. Sempre outra voz e uma nota de desilusão na voz dela. O Martim chegava tarde da escola. Repleto de trabalhos de casa. Trabalhos diversos e que requeriam tempo e atenção. Ela não sentia forças para o ajudar. A pouco e pouco, ele deixou de lhe pedir ajuda. Ela perdera o entusiasmo de outrora. O entusiasmo com que, desde sempre, lhe transmitira o quão importante é estudar. O que se fica a conhecer, o que se descobre, o que se analisa, o que se compreende. O mundo dos astros, dos planetas e das estrelas. Das plantas, do mar, das árvores, das larvas e dos fetos. Os sólidos, as formas e as cores. Os escritores e as suas mensagens, os artistas e as suas visões da vida e do amor. O fascínio que são a linguagem matemática, a abstracção, os símbolos e as equações. O mundo das línguas que permite comunicar com outras pessoas, ter acesso a tantas outras coisas e ideias. O globo, povoado de mares e oceanos, de ilhas e penínsulas, de montanhas e cordilheiras, de lagos e icebergues. O Martim sempre foi bom aluno. Descobria-se no fundo dos seus olhos, uma luz, a luz da curiosidade intelectual, de querer saber mais e mais. Animado pela própria luz que descobria no fundo dos olhos da mãe, Martim leu livros, foi a exposições, assistiu a concertos, procurou coisas novas a toda a hora. Fê-lo desde pequeno. Movido por ela. Mais do que pelo pai, mais passivo e menos fascinado pelo conhecimento. O Martim sempre foi muito bom aluno. Os professores sempre o elogiaram, sempre lhe teceram fervorosos elogios. Ao seu empenho, criatividade, dedicação e génio. Português sempre foi a sua disciplina preferida. As composições que escrevia não eram normais para a sua idade. Ganhou pequenos prémios literários e viu os seus textos publicados no suplemento juvenil de alguns jornais. A facilidade com que aprendeu inglês também foi invulgar. Ninguém sabia de onde lhe vinha a queda para as línguas. Matilde sempre preferiu ciências e o pai, números. Mas a disciplina que mais fascina Martim é História. Matilde teme que o filho decida tirar o curso de História e que venha a dar aulas no ensino secundário. Uma profissão de rotina. Aturar miúdos mal--educados. Ganhar mal. Trabalhar horas e horas a fio, falando para quem não nos quer ouvir. Todas as pessoas que conhece que são professores no secundário são infelizes. Deve ser horrível dar aulas todos os dias, com quinze minutos de intervalo entre cada aula. De morrer! Não o quer influenciar na escolha de uma profissão, mas espera, sinceramente, que ele não queira tirar História. Também, ainda é cedo. Se bem que hoje em dia os miúdos tenham de tecer escolhas decisivas muito cedo. Mais do que um bom aluno, o Martim é um miúdo sensível e afectuoso. Matilde só espera ter sido uma boa mãe. Tem a certeza de que Vasco sempre deu o seu melhor. Vasco é um óptimo pai! Um companheiro de brincadeiras, um pai compro-metido, envolvido, um amigo mais do que um pai. No pouco tempo em que está com Martim, mantém com ele uma relação de qualidade e intensa. Matilde espera que Martim não tenha sofrido muito com a separação. Nessa altura, ainda era muito novo e ter-se-á apercebido de pouca coisa. Moçambique foi um período muito feliz da sua vida e que lhe deixou marcas para sempre. A amizade, a fraternidade, a partilha foram valores que ficaram para sempre, que fazem parte integrante dele. Nunca mais estiveram com ninguém dos tempos de Moçambique. A não ser com Isa que passou a ser a grande amiga. Ele não se deve lembrar com precisão de quase nada, mas houve coisas que ficaram. Isso é o importante. Depois, há as namoradas. O Martim tem sempre namoradas diferentes. Muda constantemente de apaixo-nada. Matilde lembra-se dela própria. Volúvel. Sempre apaixonada. Agora tudo é diferente! Obcecada por aquele homem russo com quem não vislumbra qualquer espécie de futuro.

XVII

Nos dias de estio, às cinco horas da tarde em ponto, o ritual do chá no pequeno alpendre do jardim da casa de Santos, atapetado de galhos entrelaçados de glicínias lilases, buganvílias *bordeaux* e lantanas vermelhas. Sob este tecto multicolor e em permanente mutação, de acordo com as estações do ano, três cadeirões antigos, de assentos de palhinha, circundando, simetricamente, uma mesa baixa do século XVIII, em talha trabalhada, sobre a qual Isaltina dispunha, com mestria, lanches confeccionados ao pormenor: pastéis de feijão, doces de gengibre, tartes de amêndoa, doces conventuais, elaborados com desvelo e paciência infindas. A acompanhá-los, infusões variadas, sumos naturais de lima, abacaxi, laranja, tomate, uvas, entre outros, consoante as frutas da época. Se, por acaso, a azáfama do dia não deixasse a Isaltina tempo livre para a confecção dos doces, brindava mãe e filha com uma travessa repleta de torradas bem quentes, de consistência perfeita e generosamente recheadas de compotas caseiras de comer e chorar por mais. Isaltina detinha todos os segredos da arte da culinária, para além de outros de outras artes, pelo que facilmente se compreendia que a gula fosse um dos pecados comuns a todos os membros da família e que as molduras, que trasbordavam nos aparadores, nas estantes, nas cómodas e nos toucadores, exibissem figuras de formas volumosas, de bochechas cheias e braços rechonchudos. Bernardo era o exemplar perfeito desta tendência hereditária para o prazer da mesa. Baixo e forte, de rosto redondo, maçãs do rosto proeminentes, sobre-queixo farto e olhos papudos. A própria Matilde, apesar de não ser propriamente roliça, desde bebé que detinha formas arredondadas que, com o advento da puberdade, se converteram no que se poderia designar de formas voluptuosas. A mãe escapava a este quadro familiar de excesso de peso, com a sua figura débil, a sua silhueta esguia, a que a brancura da pele, de típica anglo-saxónica, acrescentava uma nota de etéreo.

Os diálogos longos, bailados de palavras que entreabriam horizontes novos e sempre diferentes. Palavras que detinham o condão de estimular a imaginação, de desconstruir conceitos e de iniciar, devagarinho, a construção de outros, de esconjurar fantasmas, de sarar feridas interiores, de tornar tudo mais cristalino, mais límpido, de afastar as dúvidas. Palavras balsâmicas, imbuídas de poderes miraculosos, poderosas, fortes, soletradas com a doçura e o vagar das almas angélicas. Se anjos na terra houvesse, Mary-Anne teria, decerto, sido um, e Matilde interrogava-se sobre o que teria feito de tão bom para merecer que fosse sua mãe e, mais tarde, sobre o que teria feito de tão hediondo para que, um dia, Mary-Anne partisse, sem aviso, sem sinal, precisamente quando mais dela precisava.

Diálogos travados em escocês. Jamais trocaram uma só frase em português. De resto, o domínio que Mary-Anne detinha da língua de Bernardo era assaz limitado e ela própria nunca chegou a desenvolver qualquer esforço no sentido de aperfeiçoar o seu conhecimento do português. Matilde comunicava com a sua *mammy* em escocês, os seus pais comunicavam entre si em inglês, a língua em que o seu amor fora construído, e Matilde e o pai, em português. Existia, pois, uma certa diversidade linguística curiosa, da qual nenhum detinha a mínima consciência. A mãe trocava algumas palavras com Isaltina em português, as mínimas e indispensáveis, o que não impedia que entre ambas se estabelecesse uma comunicação perfeita, dado que a comunicação ultrapassa o mundo das palavras e abrange o dos sons, dos gestos, dos cheiros, do toque, da amizade. Mais do que uma relação senhora-criada, existia entre Mary-Anne e Isaltina uma relação de compreensão, de empatia, de afecto e, dir-se-ia, sem sombra de dúvidas, de profunda amizade. Da mesma forma como Isaltina, desde que Mary-Anne assumira o lugar de senhora da casa de Santos, dedicara a vida a servir a sua patroa, também Mary-Anne ajudara Isaltina em tudo o que estivera ao seu alcance.

Com onze anos, Matilde perguntara a Mary-Anne o que era o amor. Ela respondera-lhe, simplesmente: «Não faço a menor ideia». Estavam entretidas no interior da minúscula *green-house* que Bernardo mandara construir para Mary-Anne ao fundo do jardim, numa tentativa inglória de que a mulher se sentisse mais próxima do seu país Natal, rodeada por vasos de todas as formas, exibindo exemplares perfeitos de uma panóplia infinda de flores: jacintos, narcisos, amores-

-perfeitos, crisântemos, dálias, gerberas, tulipas, orquídeas, entre tantas outras. A mãe debruçava-se sobre os tabuleiros de bolbos, apetrechada com luvas de jardinagem lilases e óculos na ponta do nariz e queixava-se do desenvolvimento dos bolbos, por entre exclamações lamuriosas de *My God!*, que pareciam desproporcionais à relevância do fenómeno. E depois a bizarra resposta à pergunta de Matilde: *I have no idea!* (não faço a menor ideia). As suas respostas aos temas que não lhe interessavam tinham o condão de estancar, automaticamente, o fluir de um diálogo. Foi precisamente o que sucedeu nessa altura. O que se pode mais perguntar sobre o amor a alguém que não faz ideia do que o amor é?

A paixão obsessiva de Mary-Anne pela jardinagem, actividade em que ocupava cerca de três horas diárias, explicava a exuberância do pequeno jardim situado nas traseiras do andar, o interesse das revistas da especialidade pela actividade de Mary-Anne e os prémios que auferia, nomeadamente, em concursos de rosas. Através de enxertos, mezinhas, soluções inimagináveis e de uma dedicação canina a esses seres vivos, Mary-Anne conseguia obter cores indescritíveis, cores sem nome ou de nome por inventar. Em caderninhos quadriculados de capa preta, anotava os progressos semanais de cada espécie e, nas etiquetas dos vasos, liam-se nomes de cores que antes não existiam.

Em círculos de amigos próximos, Bernardo tinha por hábito comentar que se perdera uma grande cientista, com um misto de admiração e de ironia. Mary-Anne ignorava este tipo de comentários gratuitos, da mesma forma algo superior como ignorava tudo o que não lhe interessava e todos os que não lhe interessavam e, ainda, da mesma forma como ignorava o marido sempre que ele ultrapassava o que ela apelidava de «limites». Observações daquele género tinham consequências óbvias que poderiam passar por uma semana de silêncio, por panquecas recorrentemente queimadas ou por outras privações facilmente imagináveis. Mary-Anne, entenda-se, não pretendia ser cientista. Apenas preservava, com unhas e dentes, o seu espaço, não admitindo interferências exteriores e evitando comunicar com mais do que duas a três pessoas por dia. Não tinha paciência para as pessoas ou apenas a tinha para alguns eleitos e em doses mínimas. Para Matilde e para Isaltina, quase sempre, para o marido, em doses microscópicas, para a costureira, o padeiro, o ajudante de jardinagem, muito pouca, para todas as demais pessoas, nenhuma. Tinha duas ou três amigas no bairro, com quem, de quando em quando, partilhava um chá, mas com quem fazia questão de não se encontrar mais do que uma vez por mês. «Dama de gelo», lamentava-se Bernardo aos ami-

gos, sempre que se referia à mulher. Os amigos esboçavam sorrisos complacentes, mas, de facto, dariam tudo para passear pelas ruas de Lisboa, de braço dado com a «dama de gelo», cuja beleza não passava despercebida nas festas e encontros da comunidade médica e intelectual da capital. O ar estrangeirado de Mary-Anne, cabelos ruivos compridos, olhos claros, corpo alto e esguio, pele alva, olhar perdido e distante, porte aristocrático, constituíam atributos que a faziam brilhar em qualquer acontecimento social. Os colegas do marido esvoaçavam, insistentemente, em seu redor, esforçando-se ao máximo na dicção da língua inglesa, soltando graçolas, piropos ou observações pretensamente intelectuais, a que Mary-Anne retribuía com um sorriso de gélida indiferença, temperado por uma nota de benevolência. As esposas dos senhores doutores mantinham entre elas e Mary-Anne uma certa distância tendo, no entanto, a preocupação de não roçar a indelicadeza. Todas as mulheres evitam a proximidade excessiva de uma mulher demasiado bela. A comparação será inevitável e sem vitória possível para as demais. E assim, Mary-Anne deslizava, suavemente, pelos salões da comunidade médica da capital, com a leveza de um cisne, irradiando uma espécie de luz turva, arroxeada, que mergulhava os presentes numa bizarra onda de febre colectiva. Quando lhe perguntavam em que ocupava o tempo, respondia simplesmente:
— A plantar bolbos!
A resposta mergulhava os interlocutores num mar de perplexidade silenciosa. Os mais insistentes avançavam com perguntas do tipo: «Gosta de viver em Portugal?», ao que ela poderia responder, simulando um bocejo contido: «Se não fossem estas festas...» Alguns doutores de inusitada persistência poderiam avançar para uma terceira questão, do tipo: «Não nos diga que não gosta das nossas festas?!», ao que respondia com um olhar persistente e revelador, um sorriso benévolo, polvilhado de ironia sarcástica. A verdade é que Mary-Anne poderia ter ensaiado diálogos fascinantes, dado respostas estonteantes, divagado sobre poetas franceses (Rimbaud era o seu dilecto), tão apreciados no meio intelectual da altura, mas a verdade é que se estava «a borrifar» para os senhores em questão e que só não lhes virava as costas, por uma questão de respeito para com o marido. A sua formação em literatura comparada ter-lhe-ia permitido brilhar no seio dos universitários de Santa Maria, mas Mary-Anne não estava minimamente preocupada com a imagem que os outros pudessem dela formar. As pessoas, em geral, eram-lhe mais indiferentes do que as flores ou mesmo do que os animais. Limitava-se a acompanhar o marido por uma noção, apesar de tudo muito vaga, de dever matri-

monial, e não por qualquer outra razão plausível. No final de uma festa, Matilde, meio adormecida no banco de trás do carro, escutou o pai comentar:

— Podias ter-te esforçado *just a little more, darling.*

— Pelo menos sorri — contrapôs Mary-Anne, com uma ironia amarga, a azedar-lhe a voz.

— O sorriso do gato de Cheshire! — retorquiu o pai.

«Alice no País das Maravilhas», pensou Matilde para consigo. O sorriso vago e sem sentido do gato idealizado por Lewis Carroll. Estava meio a dormir e não se recorda de o diálogo ter tido continuação. De qualquer forma, também não se recorda de ver a mãe sorrir em mais alguma das muitas festas a que acompanhou o marido, no estrito cumprimento de um vago dever matrimonial.

XVIII

Novembro de 2002

São dezoito horas de uma quinta-feira. À soleira da porta do gabinete 110, Lurdes faz a Matilde sinal para que entre. Matilde levanta-se do sofá, larga a revista de decoração que folheava para passar o tempo, aperta, levemente, a mão a Lurdes e estende-se na confortável *chaise-longue*, de couro preto, modelo *Le Courbousier*. A terapia praticada por Lurdes é do tipo comportamental-cognitivo e encontra-se bem afastada de uma linha de tipo psicodinâmico. Apesar de tudo, Lurdes oferece aos seus pacientes a possibilidade de se deitarem no «divã», à semelhança do que Freud fazia com os seus doentes. Se preferirem, os pacientes sentam-se numa poltrona aconchegante em frente à terapeuta, a uma distância convencional, e não excessivamente próxima. Matilde prefere a *chaise-longue*. Sente-se aconchegada como no ventre materno. A temperatura do compartimento é sempre agradável, independentemente do estado de tempo que se faça sentir. Por vezes, Lurdes coloca uma música clássica de fundo, num som tão baixo que se torna impossível identificar o compositor. Não se sabe de que música se trata, mas sente-se música e, inevitavelmente, o corpo e o espírito mergulham num estado de relaxamento. O ambiente é atravessado por um suave aroma a limão e sândalo que penetra as suas narinas.

— Hoje queria falar sobre o Vasco — propõe Matilde.

É habitualmente ela quem propõe os temas das sessões, ainda que os temas não sejam estanques e que, como as palavras são como as cerejas, se comece por falar de uma coisa e se acabe a falar numa outra bem diferente.

— Muito bem! Porquê o Vasco hoje? — inquire Lurdes. Tom de voz doce, mas firme.

— Não sei bem porquê. Vi-o no último fim-de-semana. Na verdade, é raro o fim-de-semana em que o não vejo. Ele insiste em ir buscar o Martim lá a casa.

— Por que é que acha que isso acontece?

— Acho que me quer ver. Não tenho a certeza disso, mas acho que gosta de me ver.

— E você, gosta de o ver?

Silêncio. Matilde entregue à contemplação do tecto.

— Gosto de o ver! Claro, gosto de o ver! É verdade que nos separámos, mas continua a ser uma pessoa muito importante na minha vida. É o único homem com quem tive um filho.

— Mas este fim-de-semana, vê-lo, mexeu consigo...

— Pois foi! Mexeu comigo. Foi estranho! Senti pena quando partiu com o Martim. Senti vontade de que ficassem e de que fôssemos comer uma *pizza* e ver um filme algures.

— Os três?

Silêncio.

— Claro! Os três. Como uma família de verdade, as que se vêem nos filmes.

— Não foi a Matilde que não quis ter uma família como «as dos filmes»?

Pausa. Matilde fecha os olhos e, por segundos, abandona a contemplação do tecto.

— Nos filmes cor-de-rosa as famílias são felizes. Reúnem-se em celebrações, cantam, brincam. Bastaram-me quatro anos de vida em comum com o Vasco para perceber que nunca iríamos ser assim.

— Quatro anos bastaram para chegar a essa conclusão?

— A rotina matava-me. Todos os dias fazíamos as mesmas coisas, tínhamos todos aqueles deveres, obrigações, rituais gastos. Não havia nada de novo, nada de interessante acontecia. Era uma espécie de vegetar. Levantar cedo. Ir levar o miúdo à creche, o dia inteiro no trabalho, ir buscar o miúdo à creche, fazer o jantar. Isto todos os dias, cinco dias por semana, quatro ou cinco semanas por mês, doze meses por ano.

— E os fins-de-semana?

— Também eles eram rotina. Pura rotina. Levantar, tratar do Martim, deambular pela casa como sonâmbulos a fazer sempre as mesmas tarefas.

— Não saíam?

— Pouco, muito pouco. O Vasco era muito caseiro. Passava horas a comer pipocas em frente ao televisor, a ler o *Expresso* ou absorto na sua colecção de moedas. Ainda hoje sou alérgica ao *Expresso*. Tinha tantas folhas, que era preciso todo o fim-de-semana para ele as ler. Era desarrumado, para não dizer caótico. Disse-lho algumas vezes.

— O que é que lhe disse exactamente?

— Que o achava um caos. Que era impossível viver no meio daquela confusão de roupa e de objectos de todos os tipos. Corta-unhas, gravatas, papéis e papelinhos, blocos e bloquinhos, canetas, fios, agendas, canivetes, apara-lápis, carteiras, sacos, chaves de parafusos, pregos, parafusos, tubos de cola, alfinetes, martelos, selos, cuecas, tomadas, fios eléctricos, passes sociais de há séculos, cartões de escolas que frequentou e de que já nem se lembra o nome, tachas, pioneses, agrafos, bocados de borracha, tubos de clisteres, meias rotas, fotografias descoloridas e com caruncho, cadernetas de bancos, bilhetes de autocarro, enfim, não valerá a pena continuar com a inumeração.

— Era isso o que mais a irritava nele?

— Tudo nele me irritava. Isso era apenas um pormenor.

— O que mais a irritava?

— A mania de mascar pastilhas elásticas a toda a hora, de ir para a cama a mascar pastilhas, de fazer amor a mascar pastilhas. Não eram só pastilhas. Tinha sempre alguma coisa na boca para mascar. Era muito irritante! Fazia-o para me irritar.

— Tem a certeza?

— Não posso dizer que tenha a certeza. Mas a verdade é que, desde que nos separámos, acho-o diferente. Nunca mais o vi mascar o que quer que fosse.

— O que mais a irritava?

— Não fechar a pasta dos dentes, deixar a escova dos dentes fora do copo, deixar a banheira cheia de pêlos, sem sequer pensar em lavá-la no final do banho, comer rebuçados no banho e deixar os papéis espalhados pelos bordos, à espera de serem apanhados por mim, os *after-shaves* baratos e usados em excesso, o barulho que fazia a comer amendoins e caracóis, enfim, tantas coisas que poderíamos ficar aqui até amanhã sem as ter referido a todas...

Suspiro profundo.

— Nota-o diferente?

— Parece-me diferente. Mas não sei como estará a casa dele e, felizmente, não tem comido amendoins nem caracóis perto de mim.

— Talvez seja impressão sua e ele esteja igual...

— Não! Ele está diferente!

— Acha que se recomeçassem a viver juntos seria diferente?

Pausa longa.

— Às vezes penso nisso. Pensamos em tantas coisas, em tantos disparates! Mas não daria certo. O Vasco não é homem para mim.

— Quem é homem para si?

— Não sei! Se soubesse, estaria com essa pessoa e não precisaria de fazer terapia.

— Outra pessoa resolveria os seus problemas profundos?

— Se algum dia tivesse encontrado a pessoa certa, decerto estaria bem. O problema é que, por muito que me custe admiti-lo, nunca a encontrei.

— Apesar de tantas paixões...

— Apesar das paixões, que não foram tantas assim, continuo sem saber o que é amar alguém, amar um homem, que não o meu filho.

— Mas já amou o Vasco, não amou?

Pausa. Remexe o cabelo.

— Talvez... Pelo menos, nesses tempos, pensei que o amava. Fogo de palha.

— E amou Vladimir...

Matilde remexe-se na *chaise-longe*. Incomodada.

— Um devaneio...

— Um devaneio que deixou marcas profundas...

— Um devaneio sem consequências de maior. A minha vidinha continuou igual: casa-hospital-casa. Fins-de-semana em Tróia. Compras de supermercado. Ver televisão e falar com amigas ao telefone.

— Esse devaneio, como insiste em chamar a essa relação, deixou-lhe sequelas profundas. Há que as enfrentar.

Matilde olha para o relógio. Vinte minutos para a sessão terminar.

— Não posso falar de Vladimir em vinte minutos.

— Devíamos dedicar-lhe mais sessões.

— Não sei se concordo. Não gosto de falar nele. É sagrado!

— Nada é sagrado. Só é sagrado, o que quisermos que o seja. Tudo é passível de ser analisado.

— Com o seu estilete mental?

— Por nós as duas. Em conjunto.

— Guardo-o no lugar mais recôndito do meu coração. Falar-lhe dele nas últimas sessões só me fez mal.

— Guarda-o com se guarda uma espinha. Atravessada na garganta!

— Pode ser... De qualquer forma, é lá que eu quero que ele continue.

— A atrapalhar a sua vida, a fazê-la viver presa a um bocado do passado, resignada com o destino.

— O destino está traçado!

— Não é verdade! Você não acredita nisso, pois não? Se acreditasse, não estaria aqui.

— Estou aqui como poderia estar noutro lugar qualquer.

A sessão termina. Matilde despede-se de Lurdes com um aperto de mão imperceptível.

XIX

Matilde vai almoçar com Isa a um restaurante italiano no Saldanha. As duas são fãs de *pasta*.

— Esta *pasta* está deliciosa!

Matilde acena afirmativamente. Mais sisuda e calada do que é
habitual.

— Então?! Não estou contigo há imenso tempo! E tudo por tua
causa! Nunca tens tempo. De quando em quando, não me importava
de ir ter contigo.

— Sabes que não tenho muito tempo para almoçar.

— Não tens tempo para nada! Não sei como consegui que viesses
ter comigo ao Saldanha. Deve ter sido milagre! Sabes, a pessoa insiste,
insiste e acaba por desistir. Quando não se vê interesse do outro em
encontrar-se connosco...

— Não se trata de ti, Isa. Não me apetece estar com ninguém.
A realidade é essa. Nos últimos tempos não tenho estado nem contigo, nem com ninguém.

— Para o Salvador deves ir arranjando um tempinho...

— Muito pouco tempinho como podes confirmar com o próprio.

— Não vale a pena! A propósito, como é que ele está?

— Vai indo... os problemas de sempre.

— E tu? Os problemas de sempre, calculo. Ainda aquele russo,
que te dá cabo da vida.

Silêncio.

— Infelizmente não podemos escolher quem amamos, não é?

— Podemos fazer um esforço, por mais pequeno que seja, para não
perdermos os dias a pensar em alguém que não nos merece. Deve-lo a
ti e, mais do que tudo, ao teu filho.

Silêncio.

— O Martim está bem.

— O Martim precisa de ti. Precisa de ter de volta a mãe alegre e activa que tu eras, e não esse ser amorfo em que te transformaste graças a uma paixão inconsequente.

— Não posso evitar o que sinto pelo Vla.

— Vla! Vla! Isso nem nome é! Esse homem precisava de alguém que lhe dissesse umas verdades. Deixar-te neste estado!...

— Não sou nenhuma criança. De resto, ele não pode imaginar que não o ter me deixa assim. Pensa que sou uma mulher forte, percebes? Conheceu-me forte, em Moçambique, a lutar contra a morte. Não pode imaginar que eu esteja assim.

— Tens ido à terapia?

— A terapia... a Lurdes ajuda-me pouco, muito pouco.

— Mesmo assim. É fundamental que continues essa terapia.

Matilde acena afirmativamente.

— Quando é que o vais ver de novo? Ao Vla? — pergunta Isa, irónica.

— Não sei.

— Nunca sabes... esse é o problema. Vives na ilusão de que um dia ele se lembre de te telefonar. Quando isso acontece, corres a fazer o que ele te propõe.

— ...

— É triste, Matilde! Eu, como tua amiga, não consigo compreender. Ninguém consegue. Foste-te afastando dos teus amigos...

— Nunca foram muitos...

— Pouco interessa. A verdade é que foste perdendo os poucos que tinhas.

— Talvez não interessassem assim tanto...

— Disparate! Eram o que eram. Resto eu, o Manel e o Salvador. Com quem é que falas mais?

— ...

— O que deixa uma enorme responsabilidade em cima das nossas costas, como deves calcular. Não é fácil ver-te afundar aos poucos, sem poder estender-te um braço. Quando fomos falar com a Lurdes a teu respeito...

— O que não deviam ter feito!

— Cala-te! Quando fomos falar com a Lurdes, ela explicou-nos que não te podíamos abandonar. Que mesmo que dissesses que não precisavas de nada, estavas a precisar.

— Pois! Conversa típica dela.

— O teu tio pode ser maluco, mas adora-te. O Salvador anda diferente. Sente a tua falta, do que tu eras, da tua luz. Será que não percebes isso? Nunca mais te ouvi cantarolar. Antes cantarolavas em todo o sítio a toda a hora.

— Olha, pede a conta, por favor. Tenho de voltar ao Hospital.

— No outro dia encontrei o Rui Real...

Matilde detém por segundos o olhar em Isa.

— O meu director?

— Precisamente!

— Não o foste procurar, não!?

— Não, não o fui procurar! Sabes o que ele me disse?

— Mas tu conhece-lo de onde? — inquire Matilde, agressiva.

— Já não te deves lembrar, mas foste tu quem mo apresentou há uns tempos. Nessa altura, andavas embeiçada por ele, mas também já não te deves lembrar?

— Pelo Rui Real?! — exclama Matilde, em tom de assombro.

— Pelo Rui Real! Pelo charmoso Rui Real, que, por acaso, teria sido uma boa solução para a tua solidão. Aliás, seria uma boa solução para qualquer mulher avulsa. Inteligente, rico e charmoso. Que mais se pode querer?

— Depende! Eu, para mim, não o queria nem pintado!

— Pode ser. És cega, com certeza. Bem, o que interessa é que acabámos por ir tomar café juntos.

— Bah!!!

— E acabámos por falar de ti, como é natural. Pois bem, o Rui Real confidenciou-me que tu andas estranha. Pouco concentrada, sempre cansada e que erras diagnósticos com frequência excessiva.

— Ele disse-te isso? — grita Matilde.

— Disse-me isto!

— Não terás sido tu que lhe disseste que me achavas diferente?

— Não, não fui eu! Ele disse-mo, na tentativa de te perceber e de te ajudar. Parece que o assunto começa a ser comentado pelos corredores de pediatria. As enfermeiras comentam, as auxiliares comentam, enfim comenta-se.

— Que eu erro diagnósticos?

— Que mandaste para casa um miúdo com sinais óbvios de uma colite aguda. E que, se ele não tivesse voltado umas horas depois, porque a mãe não ficou satisfeita com a alta, podia ter sido o fim do miúdo.

— Exagero! Acho incrível que o Rui te tenha dito essas coisas! — grita Matilde.

— Foi para teu bem... Para te ajudar.

— Falaste-lhe do Vla?

— Falei-lhe em problemas familiares. Não especifiquei que tipo de problemas.

— És mesmo uma grande amiga! Com amigas assim, vá lá a gente precisar de inimigos! Olha, até nunca! Tu que vives uma vidinha irreal, sempre a navegar na *net*, é que me vens dar conselhos sobre a vida. Bah!

Matilde levanta-se da cadeira e abandona a sala deixando em cima da mesa uma nota de vinte euros.

De regresso ao Hospital, olhares frios às enfermeiras com quem se vai cruzando. Felizmente, de Rui Real, nem sinais nessa tarde. À noite vai ter a casa de Manuel. Manuel abre a porta, de roupão. Perfumado. Matilde entra, de rompante, e, sem o cumprimentar, entra no quarto dele e deita-se na sua cama.

— A que se deve a tua visita?

— Preciso de falar contigo!

— Não podia ser na sala?

— Aqui está-se melhor.

— Não gosto que entres assim na minha cama. Nunca fomos namorados e muito menos irmãos.

Matilde fita-o, confusa. É a primeira vez que Manuel lhe faz um reparo tão directo.

— A verdade é que estou farto de que abuses da minha privacidade! Nunca te dei esse direito. Não entro na tua. Quando vou a tua casa, não me deito na tua cama. É um disparate!

Matilde está confusa. Sempre gostou de ultrapassar as barreiras do socialmente correcto. Algo que lhe terá ficado da mãe. Gosta de o fazer com Manuel, por alguma razão sobre a qual nunca se dignou reflectir. Levanta-se da cama, e Manuel impede-a. Força-a a ficar.

— Agora, já aí estás! Diz lá...

— Não te quero incomodar...

— Já incomodaste.

— Não escolhi bem o dia... — procura de novo levantar-se, mas Manuel impede-a.

— Fica e conta! — quase grita.

— Almocei com a Isa. Disse-me coisas horríveis. Que estou diferente, que ninguém me suporta, que estou a cometer erros no Hospital. Que já se fala disso.

Silêncio.

— Ela tem falado contigo, disto? Andam a congeminar coisas sobre mim?

— Quando nos encontramos, falamos de ti. Com cuidado, com respeito, com a amizade que nos mereces.

— Respeito? Imagino o respeito! Decerto ela contou-te do russo!

Silêncio.

— Pelo teu silêncio é óbvio que o fez. Como é que ela se atreveu? Deve ter feito o mesmo com o Rui Real.

— A Isa conhece o Rui Real?

— Conhece. Apresentei-os um dia, há muito tempo. Da mesma forma como to apresentei, lembras-te?

— Sim.

— Pois bem... falou-te então do russo?

— Falou-me, por alto, que estavas assim por causa de uma paixão arrebatadora por um homem russo.

Esgar de desdém.

— Estás a ver as amigas que eu tenho? Não posso confiar em ninguém, essa é que é a verdade!

— A Isa gosta muito de ti. Sabes disso. Quer ajudar-te. De resto, é o que todos queremos.

— Quem são esses todos, que eu não conheço?

— A Isa, eu, o Salvador, o teu filho, o teu ex-marido. Enfim, todos os que gostam de ti.

Lágrimas nos olhos. Matilde furibunda.

— E falam todos uns com os outros, de mim e do russo! Conversa de velhas de aldeia sentadas nos degraus de uma escada. Que tristeza!

— Não sejas parvinha, Matilde! Não falamos uns com os outros sobre ti e sobre o russo. A Isa falou-me do russo. *En passant*. Por se preocupar contigo. Por não saber o que fazer. Até me pediu que te ajudasse a esquecê-lo.

Matilde solta uma gargalhada estridente e irónica.

— Como se isso fosse possível!...

Pausa.

— Queres um café?

— Não! Estou a tentar falar contigo, bolas!

— E eu estou a tentar falar contigo. A tentar que compreendas que há pessoas que se preocupam contigo.

— Como se vocês soubessem tudo sobre mim!... — riso nervoso.

— Nem tu própria sabes tudo sobre ti!...

— Nem tu, menino esperto. Lá por seres «psi», tens a mania de te armares em conhecedor da natureza humana. Sabes umas coisas, coisas teóricas, que aprendeste em livros, só isso. Se não, olha para a tua vida...

— Sim...

— A tua vida é uma bela merda, essa é que é essa!

— Não me digas! E eu que não tinha dado por nada!

— Não amas ninguém, ninguém te ama — observa Matilde, maldosa.

Pausa. A conversa corre o risco de se tornar azeda.

— Como é que sabes que eu não amo ninguém?

Matilde olha-o, surpresa. Encontra voz para insistir:

— E amas?

— Amo! Amo muita gente. A minha mãe e o meu pai são dois exemplos. Queres mais?

— Já agora... — desafia Matilde.

— Amo os meus amigos. Faria qualquer coisa por eles.

— Deves incluir-me a mim?

— Se fosse a ti, não estaria tão certa disso... — replica Manuel, em tom desafiador.

Matilde sufoca.

— E amo! Amo no sentido que sabes. Amo uma mulher.

Silêncio. O coração de Matilde atordoado, magoado.

— Amas uma mulher? — repete.

Manuel acena afirmativamente. Ruborizado, inflamado.

— Não fazia ideia... — soletra Matilde.

Silêncio longo. Matilde, sentada na cabeceira da cama, sufocada, atordoada. Manuel em pé, junto aos pés da cama, de mão na anca, perturbado. Matilde olha-o em cheio. Os olhos dele estão brilhantes e trémulos.

— Desculpa... acho que me excedi — murmura Matilde em voz baixa. Levanta-se da cama e compõe a roupa. — Não podia imaginar... és sempre tão discreto. Desculpa. — Procura, atrapalhadamente, os sapatos debaixo da cama; encontra-os e calça-os em câmara lenta. Manuel contempla o chão, procurando retomar a respiração normal. Matilde veste o casaco e abre a porta da rua. Manuel acompanha-a em silêncio. Matilde tem o semblante carregado. Dir-se-ia que carrega o peso do mundo às costas. Manuel tem vontade de a beijar, mas não o faz. Qualquer erro, nesse momento, seria desastroso. Matilde olha-o de novo. Como que tentando vê-lo pela primeira vez. Faz um esforço e semicerra os olhos. Depois chama o elevador e desaparece sem uma palavra. Mal chega ao carro, irrompe num pranto convulsivo. A chuva cai forte nos vidros, e Matilde pensa que chegou o momento de acabar com tudo. Nada mais, faz sentido. Manuel ama outra mulher. Isso magoa-a. Não sabe porquê, mas magoa-a profundamente. Conduz até casa por entre a água da chuva e a água que lhe invade os olhos. Durante toda a noite acorda envolta em suor. Sonhos irrequietos e confusos, em que a imagem da mãe aparece de quando em quando. Como uma vela acesa no dilúvio. De madrugada toma uma decisão. Fazer uma férias e ir até Stirling. Em busca da memória da mãe. De um colo aconchegante.

XX

Quando Matilde e Vasco se casaram, continuaram a viver em Santos. As pessoas, à semelhança das árvores, criam raízes e têm dificuldade em mudar de lugar. O sítio em que vivem durante anos passa a fazer parte integrante da sua identidade, e abandonar um sítio onde se viveu muito tempo deixa uma sensação de perda dessa identidade. Arrendaram um apartamento minúsculo, numa perpendicular à rua onde morava a família de Matilde. Um rés-do-chão esconso e sem luz. Foi lá que o casal viveu até à data da separação. Matilde não estava preparada para a sua nova realidade. Tinha alimentado sonhos de princesa. Tinha sonhado com um palácio e com um príncipe encantado, e a realidade era totalmente diferente. O rés-do-chão arrendado, de três assoalhadas, assassinava qualquer espécie de fantasia. Era minúsculo, escuro e bafiento. Matilde limpou-o e tornou a limpá--lo, centímetro a centímetro, mas o cheiro persistia. Como se o cheiro fosse um brinde a que se tivesse direito por se ter arrendado o imóvel. Não se podia prescindir do brinde. Os materiais de construção eram fracos e de um mau gosto indescritível. Por mais voltas que se desse, os azulejos da cozinha e da casa de banho entravam pelos sentidos dentro e persistiam na memória, causando arrepios e estremecimentos. No *hall* do prédio, continuamente atravessado pelas mais inóspitas criaturas, o barulho era intermitente e agudo. Um cheiro a couves cozidas empestava o ar e causava náuseas a Matilde. Três vasos exibindo plantas em decadência, de cores berrantes, completavam um cenário de filme de terror. Havia os vizinhos dos cães pretos, os quais entravam em casa dos outros sem pré-aviso, de nariz arguto e porte majestoso; a gorda do segundo andar, que há muito ultrapassara os cem quilos, com os dois filhos com os narizes eternamente entupidos, e os olhos invariavelmente chorosos. Havia uma mulher que, se se atendesse ao aspecto, seria prostituta, um casal de meia-idade, com ar de contaminado por diversos vírus; e havia, obviamente, os vizinhos de cima. Um casal de idade e os seus dois filhos, na casa dos vinte, os quatro aficcionados de touradas e adeptos do Porto. As noites prolongavam-se até de madrugada ao som de touradas e jogos de futebol. A mulher manquejava e arrastava uns chinelos pelo chão da casa, de uma forma exasperante e conducente à loucura. Eram os quatro conhecedores de todos os vocábulos asneirentos da Língua, dos que Matilde tinha vago conhecimento e de outros, que nem mesmo imaginava existirem. Soltavam-nos, aleatoriamente, entre gritos, e, por vezes, agrediam-se fisicamente. Matilde chegou a telefonar para a polícia, mas sem resultados concretos. Quando engravidou, a situação piorou. A gravidez teve complicações, que requereram repouso físico absoluto. Matilde ficou de baixa médica e, durante os três primeiros meses de gravidez, ficou sozinha em casa, deitada na cama ou sentada no sofá da sala, recebendo incessantemente os estímulos sonoros dos vizinhos de cima. Alturas houve em que pensou enlouquecer, mas procurou manter a serenidade, que sabia essencial para levar a gravidez a bom termo. Havia dias em que Vasco vinha almoçar a casa. Mas era raro. Nessa altura, trabalhava na Câmara de Odivelas, e o trajecto de vinda até Santos e de regresso à câmara ultrapassava largamente a hora de que dispunha para almoço. Marinela levava-lhe o almoço, mas não podia ficar por muito tempo, porque tinha a sua vida. Nesses tempos, eram poucas as pessoas que lhe telefonavam, para além de Salvador, que era companhia constante e que a visitava todos os fins-de-semana, sem saber o que dizer para a animar. Vasco não se apercebia bem do que se estava a passar. Andava embrenhado no seu trabalho, empenhado em subir na vida e em proporcionar a Matilde e ao futuro bebé uma vida melhor. A casa em que Vasco vivera toda a vida até se casar não era muito diferente do andar em que agora morava com Matilde. Não notava grandes mudanças. Se as houvesse, seria para melhor. Para melhor, porque casara com a mulher que amava. Quando, à noite, Vasco chegava a casa, Matilde estava a dormir. Explicava-lhe que era a única maneira que encontrava de ir sobrevivendo. Vasco não atribuía grande importância a este tipo de observações. Considerava as mulheres umas teatrais, umas exageradas. A mulher que mais amava na vida, a sua mãe, passava os dias a queixar-se, por isso Vasco estava habituado aos queixumes das mulheres. Achava que era uma forma que elas encontravam de demonstrar a sua sensibilidade. Pedia à mãe que telefonasse à mulher, mas os telefonemas esporádicos da mãe apenas mergulhavam Matilde num desespero maior. No final dos três primeiros meses de gravidez, a situação de saúde de Matilde melhorou. Obteve autorização para ir trabalhar, desde que a um ritmo claramente inferior ao habitual. Matilde falou com o chefe de pediatria e explicou-lhe a situação. Sentiu que estava a solicitar um tratamento especial e que isso seria péssimo para a sua carreira. Não compreendeu que estava a fazer a única coisa que podia fazer, para preservar a gravidez. Quando Martim nasceu, Matilde sentiu-se renascer. Passava os dias a contemplar a criança, de olhos repletos de lágrimas de alegria. Vasco exultou de alegria e toda a família do marido se alegrou com o nascimento do novo membro. De mais um Rocha. Na Maternidade Alfredo da Costa, a sogra ofereceu-lhe um cacho de uvas e afirmou, orgulhosa, que o miúdo era a cara chapada do pai. O pai de Matilde rejuvenesceu com o primeiro neto. Entregou-se de corpo e alma ao papel de avô. A família de Vasco visitava-os todos os fins de semana. A sogra levava-lhe uvas, viam a criança no pouco tempo em que estava acordada, teciam qualquer comentário crítico a respeito de qualquer coisa, temperatura da casa, alimentação... e partiam envoltos no silêncio em que tinham chegado e pela precisa ordem pela qual tinham entrado: sogro à frente e sogra atrás com o caniche branco pardo ao colo e o saco das uvas na mão esquerda. Após os três meses de licença de parto, Martim foi para um infantário próximo de casa e Matilde regressou ao seu trabalho no Hospital. Instalou-se uma rotina castradora, na qual a visita dos sogros ao domingo à tarde representava um elemento essencial e asfixiante.

Martim era uma criança irrequieta e que exigia atenção contínua. Vasco era um pai dedicado e carinhoso, mas pouco empenhado em acordar a meio da noite para pegar o filho ao colo e fazê-lo parar de chorar. Nos dias em que Matilde «estava de banco», as coisas complicavam-se e os ânimos incendiavam-se. Vasco insistia em progredir na sua carreira e não percebia que, a pouco e pouco, Matilde deixava de o amar. Estava longe de compreender que Matilde não poderia viver toda uma vida com um homem que não amava, que não desejava e com quem não partilhava nada de particularmente profundo. Poderia haver muitas mulheres que continuassem a investir numa vida assim. Nunca Matilde! Matilde queria amar, mais do que sentir-se amada, tinha sonhos, projectos, desejos. Era dotada de asas. Mulheres assim não sobrevivem na penumbra de um rés-do-chão inóspito anexo a um *hall* com cheiro a couves. Mulheres assim querem voar. Voar alto, arriscar, mesmo que mais não seja para, em seguida, se estatelarem no meio do chão. Matilde tinha sonhos a preencherem-lhe o pensamento, sonhos que a impediam de se adaptar a uma vida monótona, com um homem bom e que gostava dela. Matilde queria sentir-se viva, queria amar, perder-se de amor, ensaiar fusões de alma, partilhas profundas. Vasco caminhava à superfície de tudo, devagar e em passos ritmados. Sempre em frente, sem ousar descarrilar. Matilde gostava de filmes intensos, densos e complexos e, de preferência, com finais infelizes. Filmes franceses. Filmes que a fizessem chorar. Matilde queria perder--se, arriscar, sentir fogo no corpo, a alma incandescente, desejo e prazer. Queria voar muito alto. Pouco tempo depois de Martim nascer, Matilde apercebeu-se de que cometera um erro. Tinha pena dela e de Vasco, a tudo alheio, desatento, à beira do precipício de a perder, sem disso ter a mínima consciência. Sempre com um sorriso nos lábios e uma festa na ponta dos dedos. Meigo e apaixonado. Mas desprovido de encantos que a prendessem junto a si. Salvador dizia a Matilde que Vasco era o marido que qualquer mulher quereria ter. Não bebia, não fumava, não lhe batia, amava-a e era trabalhador e bom pai. Matilde sorria, irónica. Como se isso bastasse! Como se isso fosse o mais importante! Dia a dia, Matilde foi-se armadilhando de certezas, da certeza do que não queria, ainda que sem certezas do que queria. A oportunidade de ir trabalhar para Moçambique surgiu, aliciante. Sem pestanejar, tomou uma decisão. Tinham decorrido quatro anos desde que se casara com Vasco. Sentia, porém, que desperdiçara uma eternidade. Não basta querer-se bem a outra pessoa e saber que ela nos quer bem. É preciso muito mais! Muito, muito mais! Vasco não iria compreender, mas teria de aceitar. Matilde tinha pena de se ter enganado e de, de alguma forma, o ter enganado. Acreditava que ele poderia vir a ser mais feliz com alguém que o amasse de verdade. Não seria difícil encontrar alguém assim. Belo e doce Vasco! Apesar de ter uma mãe indigesta, Vasco poderia ter esperanças de reencontrar o seu caminho. Ela desejava-lhe o melhor. Queria que ele fosse feliz, muito feliz. Ele precisava de tão pouco para ser feliz!... Ela, pelo contrário, sabia que dificilmente o seria. E que, se o fosse, teria de pagar um preço muitíssimo elevado. Havia, porém, algo que a alegrava e a fazia sorrir. Ia perder a sua sogrinha, a sua querida sogra. Para sempre. E nunca se voltaria a casar com um homem sem antes lhe conhecer bem a mãe. Preferiria os órfãos. Isso, sim, tinha aprendido. Não se casa só com um homem. Pode correr-se o risco de casar com a mãe dele. Se, por azar, a mãe dele for como a que lhe tinha calhado na rifa, a continuação do casamento é puro fruto do acaso. Vai-te, Satanás!

XXI

Novembro de 2002

Vasco convidou Duarte para jantar no Gambrinus. Tinham por hábito jantar juntos antes de uma ida ao São Carlos. Ao contrário de Duarte, Vasco não dava especial valor a ópera. O hábito ficara-lhe depois de viver com Matilde. Quando se vive com alguém durante um certo tempo, adquirem-se hábitos da outra pessoa, hábitos que nunca foram nossos, mas que passamos a fazer nossos. Entre duas sapateiras, Duarte quer saber:

— Tens saído à noite?

— Nem por isso... Tenho ido ao cinema. De quando em quando. Uma vez por semana, não mais. Sábado à noite é-me difícil sair de casa, porque normalmente estou com o Martim. Já fui muito mais caseiro. Se tivesse uma família, talvez fosse diferente. Imagino-me a ficar em casa, atirado num sofá, à frente do televisor, com um pacote de pipocas na mão e gritos de miúdos histéricos à minha volta. Assim, é diferente. Fico deprimido naquele apartamento gigantesco. Eu e os meus CDs. Como só estou com o Martim aos fins-de-semana, aproveito para sair com ele. Sábado de manhã a partida de *squash,* é um *must.* À tarde, damos um passeio pelo Parque das Nações ou vamos até à Costa. Enfim, procuro que se divirta. Estou tão pouco tempo com ele! Não quero perder pitada do crescimento do miúdo, percebes?

Duarte percebe.

— Por isso tenho de aproveitar os dias da semanas para *flirtar* um bocado...

— Tu e as tuas namoradas! Lembras-te de um dia em que três se cruzaram em tua casa?

152

— Isso só aconteceu um dia. Foi cá um estardalhaço! Iam-se matando! Não gosto que lhes chames «namoradas». São amigas. Amigas, simplesmente.

— Vai tudo dar ao mesmo. Nunca acreditei em amizade entre homens e mulheres.

— Essa agora! Então tu, que tens a tal amiga na *net*... E que asseguras a pés juntos não ser mais do que uma amizade...

— E não é mais do que uma amizade!

— Tretas! Andas embeiçado pela miúda, confessa.

— Não é verdade! É apenas uma companhia, que me ajuda a passar os dias.

— Nunca tiveste curiosidade em conhecê-la?

Duarte limpa os dedos no guardanapo, meio farto da sapateira, e fita o amigo:

— Claro, sim!

— Se fosse só amizade, não pensarias em vê-la...

— Garanto-te que é só amizade! Não existe qualquer espécie de *flirt*.

— Não acredito! Falam de quê, afinal?

— De tudo um pouco! Ela fala-me da sua vida, eu falo-lhe da minha noiva.

— Da tua ex-noiva! Já é tempo de esqueceres essa história. Pareces demente! Já passou tanto tempo. Arranja uma namorada de verdade, não essa mulher da *net*. Isso não é nada!

— Pode ser que não seja nada para ti. Para mim, é o oxigénio que me faz viver.

Vasco abana a cabeça e sugere:

— Olha, e se em vez da ópera fôssemos a uma discoteca?

— Odeio discotecas!

— Vais ficar para tio. Nunca vi um homem que se interesse tão pouco por mulheres. Não serás tu *gay*?

Duarte sorri.

— Sempre que um homem não tem namoradas, conclui-se de imediato que é *gay*.

— E és? — inquire Vasco, irónico.

— Sabes bem que não. De resto, tu não tens uma namorada fixa desde que te separaste.

— Isso é outra história! A Matilde está viva. Por vezes penso em reconquistá-la. Mas tenho medo.

— Medo de quê?

— Medo de ser rejeitado. Quem não tem medo de ser rejeitado?

— Não estás em condições de me criticar. Eu posso viver preso às recordações de uma mulher que está morta, mas tu vives ancorado à lembrança de uma mulher que está viva, mas que, segundo tu próprio afirmas, apenas te vê como o pai do filho.

— Não sei! É evidente que preferiria conseguir esquecê-la e conhecer uma pessoa por quem me apaixonasse. Mas não consigo. Nenhuma mulher que conheço lhe é comparável.

— E por que tem de ser comparável?

— Quem viveu com a Matilde, não pode ser feliz com mais ninguém. Tudo nela me faz falta. Tudo, percebes? As camisolas de *tricot*, o perfume, a voz sensual, as mãos de pianista, de dedos esguios, a dançarem no espaço como flechas, o cantarolar, os risos deslocados, a voz rouca, o franzir do nariz... Tudo!

— A Matilde já não te ama, Vasco! Tu próprio já o reconheceste inúmeras vezes.

— Pois... tens razão! Talvez nunca me tenha amado. Apaixonou-se e desapaixonou-se à velocidade da luz. Se o Martim me falasse que a mãe tem namorados, que vão homens lá a casa... mas não. Sempre que abordo o assunto, ele responde que nunca lhe conheceu nenhum namorado e que nunca sai à noite. Obviamente o miúdo não deve saber da missa a metade. A Matilde adora encantar, seduzir. Tem uma necessidade doentia de ser amada. É impossível que não vá tendo os seus casos. Constou-me que é íntima do director de pediatria do Hospital.

— Ela é livre! Livre para andar com quem quiser.

— É claro que sim! Mas o facto de não andar leva-me a pensar que poderá ainda sentir algo por mim.

— Não sejas louco! Não te iludas! Arranja uma relação.

— Já tenho uma espécie de relação com a Carlota. Poderá não ser uma relação particularmente intensa, mas dá para ir preenchendo o vazio. É curioso que, quando vivia com a Matilde, íamos ao cinema ver filmes profundos, densos e, de preferência, franceses. Nessa altura eu acompanhava-a apenas pelo prazer da sua companhia. Os filmes de que ela gostava entediavam-me. Achava-os lentos e chatos. Faria tudo para ir assistir a um filme de acção, a uma coboiada. Mas como íamos pouco ao cinema por causa do miúdo, e ela gostava muito de cinema, fazia-lhe sempre a vontade. Eu adormecia durante o filme. Por vezes ela nem notava, e, depois, no carro, na viagem de regresso a casa, queria falar comigo do filme. Fazia-me perguntas e dava as respostas. Eu não tinha visto nada, e, obviamente, não lhe podia dar respostas. Curiosamente agora sou eu que tenho a mania dos filmes franceses.

A Carlota preferiria filmes de acção, daqueles de que eu gostava antes de conhecer a Matilde. Mas vai comigo. Nas relações há sempre um que tem de ceder um pouco aos interesses do outro.

— Não sei se concordo...

— Mas olha que é verdade. Eu ia ver os filmes de que a Matilde gostava, e a Carlota vai ver os filmes de que eu passei a gostar. Estranho, não é? É como se houvesse sempre alguém que manda mais... um dominante e um dominado.

— Não te fazia mal ir ver um filme de acção, para variar um pouco.

— O problema é que já não consigo ver esses filmes. Acho-os demasiado simples e primários.

Duarte sorri.

— Pobre Carlota!

— Ela não se importa! Gosta de me fazer as vontades. Às vezes penso nela como num *robot* que me foi oferecido para obedecer aos meus caprichos. Na cama, é a mesma coisa. Faz tudo o que eu quero.

Duarte solta uma gargalhada:

— Pobre Carlota! Não conhece os segredos da arte de seduzir, que pressupõe que por vezes se negue o que o outro deseja.

— Olha que sim! Se não soubesse seduzir-me, não a tinha escolhido para minha amiga número um.

O empregado leva os restos do marisco e regressa com as sobremesas.

— A Carlota está a anos-luz da Matilde. A Matilde tornou-se um vício para mim. Quando vivíamos no apartamento minúsculo e fedorento, a Matilde conseguia introduzir uma nota de graça no ambiente. Havia sempre flores nas jarras. Não são todas as mulheres que enchem as jarras com flores. Só as mulheres dotadas de uma sensibilidade particular.

Duarte, nostálgico.

— A Matilde adorava flores! Tinha sempre três ou quatro jarras repletas de flores. O dinheiro não era muito, mas dava para as flores. Ia ao mercado e trazia molhos de flores. Flores do campo, principalmente. Margaridas e outras que tais. De cores lindíssimas! Em minha casa nunca havia flores. A minha mãe não gosta de flores. Não havia uma jarra lá em casa. É claro que havia outros pormenores, para além das flores, que lhe preenchiam os dias. Ela adora música clássica. Ficávamos horas a ouvir Bach. Enrolados numa manta no chão da sala. Por momentos, ela esquecia-se da pobreza do ambiente e do cheiro a couves no *hall*. A Matilde é muito sensível aos cheiros.

Lembra um bocado aquele homem monstruoso de *O Perfume*. Um tal de Grinell. Leste o livro?

— Por acaso li. Muito interessante! Tem um final horripilante, o que é sempre raro.

— Pois, então! Ela discrimina cheiros que ninguém mais discrimina. É muito sensível aos odores. Talvez por isso lhe tenha sido penoso viver no apartamento de Santos. Muitos cheiros no ar. Cheiro a fritos e a couves, como ela costumava dizer. Cheiro a pobreza, que é um cheiro muito mau e do qual os próprios não se apercebem. Depois de viver com a Matilde, o odor da casa dos meus pais passou a ser-me estranho, desagradável.

Duarte sério.

— Era capaz de te falar de tantas coisas dela! Tantos tesouros que ela guarda no coração! A sua sensibilidade, a imaginação incandescente, a vontade de ajudar os outros, de ser útil, a ternura dela. Conheço--a tão bem... o franzir do nariz, as três rugas que lhe atravessam a testa quando se concentra, os sinais que lhe inundam o corpo, enfim, tudo. O cantarolar, o agitar o pé direito quando está irritada. Sabes que adormece sempre agarrada a um urso de peluche?

Duarte fita-o, incrédulo.

— Verdade! Um tal de *Pantufa*. É um brinquedo de infância. Muito velho, muito ruço. Com um olho de vidro riscado, uma orelha a cair. Não dorme sem ele. É incrível! Quando, em plena lua-de-mel, me apareceu com o urso, estás a imaginar o meu espanto...

Duarte sorri, divertido.

— Depois ela lá me explicou que é uma mania. Eu achei graça! Na realidade, não há nada nela a que eu não ache graça, que não me enterneça. Haverá mais alguma mulher de quarenta anos que adormeça agarrada a um urso de peluche? Não acredito que haja! Se conheceres alguma, apresenta-ma. E depois, há a história das sardas. Aquelas sardas matam-me. Vai ter aquela cara de miúda atrevida a vida toda, percebes?

Duarte abana a cabeça.

— És uma causa perdida! Resta-me a esperança de que um dia o destino te apanhe desprevenido e uma paixão avassaladora tome conta de ti. Não acredito que a Matilde faça parte do teu futuro.

— Pode ser... Só vendo.

Depois dos cafés pedem a conta. Vasco faz questão de pagar. Duarte está sempre falido, e a conta do Gambrinus causa tremores aos menos prevenidos.

XXII

Novembro de 2002

Depois de Manuel ter confessado a Matilde que amava alguém, não é fácil convencê-la a ir jantar fora. Após diversas insistências e sucessivas desculpas esfarrapadas, Matilde acede a acompanhá-lo a um restaurante na Lapa de que Manuel é cliente assíduo. Vai buscá-la a casa. Matilde mantém-se muda durante todo o trajecto de carro até ao restaurante. Já na mesa e depois de lerem o *menu* e fazerem os pedidos, Matilde coloca uma expressão facial amuada. Manuel provoca-a:

— Pressuponho que esta tua atitude se relacione com o facto de te ter confessado que estou apaixonado...

Matilde muda, entretida a bebericar o vinho branco. Inquieta. Olhos fixos na chama da vela que romanticamente lhes ilumina a mesa.

— As mulheres são, de facto, seres muito estranhos!...

Matilde de olhos fitos na vela.

— Conheço-te há uma eternidade. Nunca quiseste saber de mim para nada. Agora que te digo que amo uma pessoa, fazes uma cena de ciúmes deste tipo... Já não tens idade para estas coisas. Já és uma senhora crescida, Matilde. Uma senhora de quarenta anos!

— Uma cena de ciúmes?! — murmura Matilde sem retirar, por um segundo, os olhos da vela.

— E não é uma cena de ciúmes? Diz-me então o que é!?

Silêncio.

— O que é? Diz-me! Estavas óptima até eu te dizer que amava uma pessoa...

Matilde a roer o canto esquerdo do lábio. As mãos irrequietas a remexer no copo.

— Estás doida por falar. Fala!

Matilde fita Manuel. Olhos nos olhos. Os seus olhos brilhantes, iluminados pela luz da vela e pela emoção que a atravessa.

— Manel... há um enorme mal-entendido entre nós!

Manuel suspira:

— Não me digas...

— Só não vê quem não quer...

— Se me quiseres explicar... És sempre tão perspicaz!...

Matilde fita-o. Gravemente. Com a pitada de exagero com que gosta de compor estas situações.

— A verdade, Manel... a verdade é que até há alguns dias estava segura de ser a tua melhor amiga...

Manuel observa-a, irónico.

— E...

Matilde abre muito os olhos escuros.

— E ficou provado que não sou!

Manuel tossica, com um sorriso leve nos lábios.

— Porquê?...

Matilde prossegue muito séria, quase solene.

— Se o fosse, decerto me terias contado há mais tempo que amavas uma mulher.

O empregado interrompe o clima de tragédia grega, servindo as sopas. Manuel agradece e prova uma colher.

— Excelente, este creme de espargos!

Matilde contempla-o, de olhar fito, exigindo uma resposta.

— Contei-to agora.

— Porquê só agora?

— Come a sopa, se não arrefece — incentiva-a, com um toque no ombro direito, a que Matilde responde com uma sacudidela violenta do corpo.

Manuel prossegue na degustação do creme de espargos.

— É uma paixão recente? — inquire Matilde.

— Come! — insiste ele, sem se dignar a levantar os olhos da sopa.

Matilde segue o seu conselho. No final da sopa, o empregado retira, solícito, os pratos. Matilde refugia-se na contemplação da vela. Assume o ar de vítima, de que tanto gosta. O empregado serve-lhes vinho. Matilde sente vontade de o sacudir, como se fosse ele o responsável pelo pouco empenho de Manuel na conversa e nas explicações. O jantar decorre em silêncio. No final, Manuel paga a conta e, no aconchego do carro, Matilde pede-lhe:

— Leva-me a casa. Estou cansada. — Tem um ar triste. Tão triste que, por breves instantes, Manuel sente vontade de a abraçar. Controla-se e não o faz. Com o tempo, aprendeu a lidar com as mulheres, em particular com uma de nome Matilde.

— Não queres continuar a conversa? — oferece ele.

— Tu não me respondes.

— A que perguntas? — inquire ele, com ar profundamente inocente.

— É uma paixão recente? — insiste ela, fitando a noite por fora dos vidros.

— E se fôssemos até às Docas? Gostas tanto daqueles chás, daquele café...

Ela não responde, pelo que ele liga o carro e conduz até às Docas. Quando chegam ao café de que Matilde gosta, aninham-se numa mesa de canto. Manuel consulta o *menu* e pede dois chás pretos. Sabe o quanto Matilde aprecia aqueles chás pretos. A música ambiente é acolhedora, e o ambiente sofisticado e alegre, como habitualmente.

— É curioso que saibas tantas coisas sobre mim... — observa Matilde, de rosto mais desanuviado, pelo tom do ambiente que os rodeia.

Manuel olha-a abertamente.

— És a mulher mais bonita da noite!

O comentário é sincero, e Matilde sente-o assim. Sorri e ruboriza. Depois acrescenta:

— Queres falar-me da mulher que amas?

Manuel olha-a, embevecido. Matilde tem um vestido azul-petróleo, algo decotado, que lhe salienta a voluptuosidade das formas do corpo e lhe realça o tom de pele, os olhos e as sardas. Manuel pensa de si para si em como ela é bonita. Em como continuou bonita pelos anos fora. Já não terá o corpo esbelto de quando a conheceu aos dezassete anos. Em contrapartida, terá ganho uma outra maturidade, uma outra postura, um *savoir être*, uma luz interior que o continua a cegar como nos primeiros tempos. Enquanto a observa, a bebericar o chá com um prazer sentido, sente que a ama como sempre a amou, ou que talvez apenas a ame ainda mais. Sente que a há-de amar até à eternidade. Sabe também que nunca lho dirá. Sabe que ela o fez sofrer de mais, que o magoou profundamente e que não se humilhará ao ponto de lho confessar e receber como resposta uma observação qualquer que lhe dilacere a alma. É bom que ela pense que existe uma mulher na vida dele. Talvez descubra que sente alguma coisa por ele. As mulheres são assim. Podem achar que não amam um homem até ao momento em que sabem ou julgam saber que ele está apaixonado por uma outra mulher. Nessa altura, lutam por ele como verdadeiras leoas. No fundo, Manuel ainda não perdeu por completo a esperança de que Matilde descubra dentro de si algum amor por ele.

— Manel... — a voz doce de Matilde desperta-o dos seus sonhos.

— Em que pensas tu?

— Em nada! — protege-se no bebericar do seu chá preto. — Qual será o segredo deste chá?

— Não sei! Só sei que encontrei um sabor muito semelhante a este num chá que comprei há muito tempo numa *free-shop* no aeroporto de Paris. Depois o chá acabou, guardei a embalagem, mas nunca o reencontrei em nenhum sítio. Nem mesmo nas lojas de chás e cafés do Chiado. Pode ser que agora o encontre na Escócia...

Manuel fita-a, perplexo.

— Vais à Escócia?

— Vou!

— Fazer o quê?

— Histórias minhas.

— Mistérios?

— Nem por isso. Vou a Stirling, à terra da minha mãe.

Manuel pensativo.

— Regresso ao passado?

— Mais ou menos isso. Sabes, tenho saudades da minha mãe.

A voz de Matilde estremece nas duas últimas palavras. Manuel desenha-lhe uma festa na mão, abandonada na mesa, junto à chávena. Matilde a sufocar a comoção. As lágrimas a aflorarem-lhe aos olhos.

— Desculpa...

— O quê?

— Sou tão piegas! — Abre a mala e retira um lenço branco, bordado, com que seca o canto dos olhos.

Manuel prossegue a acariciar a mão dela.

— Talvez seja uma decisão acertada. Há quanto tempo não vais a Stirling?

— Na realidade só lá fui na altura do funeral da minha mãe. Há quantos anos!?... Sempre pensei em voltar um dia, pôr umas flores na campa... essas coisas, percebes?

Manuel acena afirmativamente. Enxuga com o dedo uma lágrima que teima em sulcar a face esquerda de Matilde.

— Estás a ficar com ruguinhas nos cantos dos olhos — observa ele.

Ela solta um riso envergonhado.

— Nunca se deve dizer isso a uma mulher de quarenta anos...

160

— São ruguinhas de expressão. Ficam-te bem...

Olham-se embevecidos. Matilde desvia os olhos, perturbada e observa:

— Não sei porquê, estou a pensar se alguma vez terás percebido...

— Que... — insiste ele baixinho.

— Que... bem, nem sei bem como dizer isto...

Ele fita-a, expectante.

— Acho que não é só uma impressão minha...

Ele olha-a, encorajador.

— Bem... sempre tive a impressão... ou mais do que isso, de que o meu pai teria gostado, se alguma coisa tivesse acontecido entre nós.

Manuel sorri.

— Tens razão! Também sempre tive essa impressão.

— Mas... ele chegou a comentar alguma coisa contigo?

— Bem, na verdade nunca me disse nada em concreto, mas...

— A mim também não... mas... lembras-te da forma estranha como nos apresentou?

Risos dos dois. Olhos fitos no passado.

— Foi muito estranho! Para mim, mais estranho foi, porque ele nunca incentivou a minha vida afectiva. Fez-me passar por cada vergonha...

— A sério? — pergunta Manuel incrédulo.

— A sério! Todos os meus namorados padeciam incondicionalmente de um qualquer defeito grave. Chegou a empurrar um pela porta fora.

Manuel sorri, maravilhado com a história.

Matilde prossegue a descrição espirituosa de duas ou três situações anedóticas que tinham tido lugar nos tempos do liceu.

— Mesmo na faculdade, as coisas continuaram iguais. Um dia fui passear com um colega pela rua em frente da minha casa. O meu pai tinha-me feito jurar solenemente que estaria de volta a casa às onze horas da noite. Distraí-me. Era uma noite de Verão, e a conversa estava animada. Às onze horas e dez minutos um carro passou por nós a cem à hora, a apitar insistentemente. Nem quis acreditar quando o carro, que quase nos ia atropelando, parou ao nosso lado e o meu pai saiu do lugar do condutor e me perguntou, com voz de trovão: «O que é que isto significa?» Colocou o mostrador do seu relógio a dois centímetros dos meus olhos e, para cúmulo do meu embaraço, começou a pedir os documentos ao rapaz, de quem, de resto, já nem recordo o nome. O miúdo ficou para morrer. Nessa altura, eu andava no segundo ano, e ele, no terceiro. Ele sabia perfeitamente que iria ter o meu pai como professor no quarto ano e conhecia, bem de mais, a sua fama de exigente, e de marcar os alunos que andavam comigo. Esta história espalhou-se num ápice. Em pouco tempo ninguém ousava sair comigo com medo das consequências. Como passava os dias enterrada em Santa Maria, não tinha oportunidade de conhecer rapazes de outras faculdades...

— Pobre Matilde! Ias ficando para tia...

— Brinca, brinca! É a pura verdade!

— Já te esqueceste do teu romance com o psicólogo? Na altura, eu estava no sexto ano, e tu eras caloira. Era de bradar aos céus...

Matilde mergulha em recordações.

— O Eduardo... Isso foi diferente!

— Diferente?

— Foi uma paixão avassaladora! Nunca pensei conseguir recuperar. — Matilde sorri.

— Ele tinha aulas em Santa Maria e encontravam-se no bar do Hospital.

— Exactamente! Ele estava no primeiro ano, e eu também. Ele andava em Psicologia. Na altura a Faculdade de Psicologia não funcionava num só edifício. Os alunos tinham algumas aulas na Faculdade de Letras, outras em Santa Maria e outras não sei bem onde. Ele tinha aulas de Biologia e de Genética em Santa Maria. Todas as segundas-feiras às cinco horas da tarde. Lembro-me tão bem... Antes dessa hora, tinha um furo e ia estudar das quatro às cinco horas para o bar do hospital. Recordo-me perfeitamente do dia em que o conheci. Havia uma mesa de *ping-pong* na sala do bar e, na altura, eu jogava muito bem...

— Claro está que me lembro! Eras uma verdadeira *star*!

— Pois era! Na verdade, havia um vizinho meu que tinha uma mesa no quintal, e eu passava os verões a jogar *ping-pong*. Bem, o que interessa é que terei feito uma exibição de tal ordem, que o Eduardo me desafiou para uma partida.

— E tu aceitaste.

— Óbvio! E perdi. Por 21-15. Recordo-me nitidamente. Devo dizer-te que era raro eu perder. Daí surgiu a minha admiração por ele.

— E novos desafios de *ping-pong*...

— Combinámos jogar todas as segundas-feiras às quatro horas. Quis o destino que eu tivesse um furo precisamente a essa hora. Foi assim durante todo o meu primeiro ano. Jogávamos uma partida e depois íamos tomar um café e *flirtar*. Eu queria ter ido para Psicologia. Para compreender as pessoas. O meu pai tinha conseguido convencer-me a ir para Medicina. Dizia que era uma profissão com muito mais futuro. Eu tinha imensa curiosidade em saber o que estava o Eduardo a estudar. Ele era um aluno empenhado, curioso e atento. As conversas com ele deixavam-me fascinada. No final do primeiro ano, estive prestes a tentar mudar para Psicologia, mas o meu pai não o permitiu.

— E o que aconteceu depois?

— Depois as aulas acabaram. Chegaram as férias de Verão. O Eduardo deixou de ter disciplinas em Santa Maria. Durante o segundo ano nunca nos encontrámos, apesar de estarmos tão perto... Na realidade, se eu quiser ser honesta comigo mesma e encarar as coisas de frente, ele nunca se interessou por mim da forma como eu me interessei por ele. O Eduardo voltou a ter aulas em Santa Maria no terceiro ano. Encontrei-o duas ou três vezes nos corredores, mas parecia-me mais distante. Soube, por interpostas pessoas, que, entretanto, tinha arranjado uma namorada. Uma tal Maria... Maria de Lurdes. Uma colega dele. Percebi que não tinha hipótese. Ele andava louco com trabalho, estudava imenso, queria tirar boas notas e ficar como assistente na faculdade. Era praticamente impossível, porque não havia vagas. Ele adorava a parte de psicologia clínica, falava dos doentes que andava a estudar na ala de Psiquiatria...

— Psicólogos... Nunca nos demos bem. Psiquiatras e psicólogos não encaixam!

— Pois... não sei! Sei que ele andava sempre muito entusiasmado e muito apressado também. Não tive hipótese... essa é a realidade.

Matilde melancólica.

— Isso foi há tanto tempo...

— É verdade, há muito, muito tempo. Ficou sempre uma mágoa dentro de mim. Talvez lho devesse ter dito. Se fosse hoje...

— Confessavas o teu amor por ele?

— Talvez! Arrependo-me de muitas coisas que deixei de fazer por timidez ou por orgulho.

— Tens razão! — Manuel pensativo. — Por outro lado, há coisas que não valem a pena. Estão perdidas à partida. Não vale a pena arriscar e ouvir um «não» que nos destrua.

— Não sei... quero que o Martim aproveite todas as coisas que a vida tiver para lhe oferecer. Que não perca pitada.

— Nunca mais soubeste nada desse Eduardo?

— Uma colega minha casou com um colega do Eduardo. Já depois do curso, encontrei-a, recordámos o passado e ela comentou comigo que, entretanto, o Eduardo se tinha casado.

— Com a tal namorada sortuda?

— Precisamente!

— Depois não soube mais nada. Imagino que trabalhe como psicólogo clínico aí nalgum consultório em Lisboa, mas nunca mais o encontrei. Não sei se conseguiu ficar na faculdade como assistente. De resto, se agora o encontrasse, ele não me reconheceria. Estou tão diferente, tão gorda...

— Não sejas tonta, Matilde!

Matilde sorri. Um traço de nostalgia atravessa-lhe os olhos.

— Quando era pequena, por vezes dizia coisas depreciativas sobre mim própria só para ouvir os outros elogiarem-me. Nessas alturas, a minha mãe usava a expressão *fishing for compliments?*. Eu sorria e desistia.

Manuel faz-lhe uma festa no braço. Matilde olha o relógio.

— Que horror! Sabes que horas são? Duas da manhã! O tempo passa a correr!...

— Nem sempre! Só quando estamos ao lado de uma companhia de quem gostamos...

— Pois é! A verdade é que amanhã tenho natação às dez horas na piscina da Cidade Universitária, e já não tenho idade para directas. Levas-me a casa?

— Claro! Olha, continuamos a conversa na próxima sexta-feira?

— Continuamos?

— Claro! Ficaste sem saber por que é que o teu pai gostava tanto de mim...

— Ora... por seres bom aluno e um menino bem comportadinho.

— Por muito mais do que isso! — declara Manuel, intencionalmente misterioso.

Matilde quer saber:

— A sério? Havia outra razão?

Manuel acena afirmativamente.

— E não ma podes dizer? — insiste Matilde, a arder em curiosidade.

— Só se aceitares jantar comigo na próxima sexta-feira.

— Bem... na verdade podia dizer-te que tenho de consultar a agenda, mas... nos dias que correm... quarentona e com rugas nos cantos dos olhos... a minha agenda já não é o que era.

Sorriem cúmplices.

XXIII

Novembro de 2002

Sexta-feira, tal como combinado, Manuel vai buscar Matilde a casa e seguem para o mesmo restaurante da semana anterior. Depois de se sentarem na mesma mesa, Matilde comenta, cáustica:
— Se há uma coisa que tu não tens, Manel, é imaginação.
— E porquê?
— Com tantos restaurante óptimos que há por aí, tínhamos de vir ao mesmo...
— Podias ter sugerido outro. Na verdade não conheço tantos restaurantes assim... Este tem um tempero óptimo e um ambiente acolhedor.
— E um empregado tipo cola! — completa Matilde, tecendo um sorriso enfatuado ao detectar, pelo canto do olho, a aproximação do empregado solícito.
Consultam o *menu* sob o olhar atento do empregado que observa:
— Aconselho o *confit* de pato com *gratin dauphinois*.
Matilde franze o sobrolho. O empregado tem o condão de lhe pôr os nervos à flor da pele.
— Pratos franceses, não! — observa, irritada.
Atendendo a que é um restaurante francês, o empregado baloiça o corpo num momento de hesitação e de ensaio de uma resposta. Manuel lança a Matilde um olhar gélido. O empregado retoma o fôlego e apressa-se a acrescentar:
— Talvez a senhora deseje um folhado de mexilhão com caril e arroz *basmati*...
Matilde prossegue na contemplação do *menu*, exibindo um ar enfastiado. Para aliviar o ambiente, Manuel pede, no seu melhor francês,

um *coq au vin*. O empregado apressa-se a anotar o pedido e aguarda com expectativa o pedido da senhora. Matilde acaba por pedir uma sopa de peixe, sem antes deixar de enviar ao empregado um sorriso enfastiado.

— Foste mal-educada! Se não querias vir a este restaurante, tinhas dito.

— Não sejas chato, Manel. Agora já cá estamos. Como a sopa, e pronto. Conta lá a tua história com o meu pai!

— Calma! Vamos com calma.

— Calma, nada. Ando há uma semana em pulgas para ouvir essa tua história. Como é que pudeste manter esse segredo durante todos estes anos?

— Não sabia sequer que desconfiavas de que o teu pai tinha algum interesse em que tivéssemos uma relação...

O empregado traz os pratos e deseja *bon apetit*. Manuel agradece com um *merci*, que Matilde critica impiedosamente.

— *Merci, Merci*. Por favor... Estamos em Portugal e o homem deve ser tão francês quanto eu. Bem, diz lá... o meu pai...

— Bem... a verdade é que o teu pai era amigo dos meus pais — confessa Manuel, enquanto ataca o *coq au vin*. Matilde quase se engasga com a sopa.

— A sério? Não posso! Como?

— Bem... talvez não saibas, mas nasci numa terra nos arredores da Figueira da Foz que se chama Tocha.

Matilde fita-o, perplexa.

— A sério? Mas... essa é a aldeia do meu pai!

— Precisamente! Os nossos pais foram colegas na escola primária. Os nossos avós eram vizinhos e amigos. Depois de fazer a antiga quarta classe... — Manuel tossica. O assunto não lhe é particularmente grato. Matilde incentiva-o a continuar.

— Depois de fazer a antiga quarta classe, o meu pai deixou de estudar. — Olha Matilde à socapa, à procura de um sinal de desaprovação, mas ela prossegue, impávida e serena, a degustação da sopa.

— O teu pai continuou os estudos no Liceu da Figueira da Foz. Na realidade, a tua família era mais abastada do que a minha, e os teus avós tiveram possibilidades de proporcionar ao teu pai o prosseguimento dos estudos — explica Manuel, algo vacilante.

Matilde ergue os olhos do prato e comenta:

— Segundo o meu pai contava, as coisas não foram assim tão simples. Foi preciso um enorme esforço para que ele fosse estudar para a Figueira. Os meus avós tiveram de vender algumas terras, e ele teve de estudar e trabalhar ao mesmo tempo — declara com nítido orgulho na voz.

— Pois bem... talvez tenham de ter vendido algumas terras.

A verdade é que os meus avós não tinham terras para vender. Eram lavradores pobres, tiveram o meu pai já com alguma idade, e ele e os meus tios eram essenciais para continuar os trabalhos da lavoura.

Matilde observa-o, atenta e expectante. Manuel limpa os lábios ao guardanapo e acrescenta:

— Na realidade, é a primeira vez que estou a falar destas coisas com alguém desta cidade. Tenho uma certa... — articula Manuel.

— Vergonha?

— Não digo vergonha. Graças a Deus nunca ninguém da minha família fez nada de que me possa envergonhar. Diria antes que tenho um certo pudor em falar nestas coisas...

— Porquê? Só te fica bem teres chegado aonde chegaste sem as ajudas que os filhinhos de pais ricos têm. Meninos presunçosos e vazios!

— Mas tu és uma filhinha de pai rico...

— Sou a filha de um pai que deu no duro para chegar aonde chegou. É verdade que não tive de trabalhar para poder estudar, mas também é verdade que me fartei de trabalhar para ser o que sou hoje.

O empregado leva o prato da sopa, e Matilde faz-lhe um sinal veemente de que não deseja mais nada. Traz-lhes o *menu* das sobremesas.

— Bem... seja como for... percebes agora por que é que o teu pai gostava tanto de mim — conclui Manuel, friamente.

— Hum...

— Na verdade, o teu pai foi estudar para Lisboa, mas nunca se afastou totalmente da Tocha. Manteve o contacto com o meu pai, e soube que eu vinha estudar para Lisboa, que ia ter um filho médico, essas coisas... Eu estava a viver numa residencial humilde no Intendente e, por vezes, o teu pai ia visitar-me e perguntava-me se eu precisava de alguma coisa. Chegou a oferecer-me alguns livros dele, imagina...

— A sério? E ele que era tão cioso dos seus livros! Mas, é engraçado que ele nunca me tenha levado à Tocha... se era tão ligado às pessoas de lá. Falava-me da terra, das dificuldades que os pais tinham tido para que ele tivesse podido estudar, mas na verdade nem nunca lá íamos nas férias.

O empregado aproxima-se, de bloco e caneta na mão, a postos para anotar o pedido.

— Um *crème brulée* para mim e para a doutora... — começa Manuel.

Matilde acena um «não» violento com a cabeça, e o empregado parte com o *menu* na mão.

— Estás de dieta? — pergunta Manuel.

Matilde insiste:

— Como explicas que nunca me tenha levado à terra?

— Segundo comentários dos meus pais, a tua mãe era um pouco coquete para o ambiente simples de uma terra de província.

Matilde digere as palavras.

— Estás a querer dizer que a minha mãe era armada?

— Não foram essas as minhas palavras. De resto, nunca conheci a tua mãe. Não te posso falar dela.

— A minha mãe era uma pessoa normalíssima. Um pouco chique, talvez...

— Um pouco como tu, talvez...

— Que queres tu dizer com isso? Fica sabendo que eu adoraria ir a essa terra e conhecer os teus pais. Não percebo por que nunca me convidaste para te acompanhar!?

— Que disparate! A que propósito? Tu nem minha namorada és!

— Sabes que passo a vida sozinha...

— Disparate! Então e o Martim?

— O Martim passa as férias com o pai e com os avozinhos surrealistas. E eu fico sozinha.

— Pelo que sei, tens passado as férias a viajar para destinos de sonho.

— Tretas! Tenho passado as férias na maior das solidões, enquanto tu vais ter com a tua família e te divertes como um louco! — O tom de voz de Matilde é elevado e os presentes fitam-nos, com pasmo.

Pausa longa, em que Manuel aproveita para pedir os cafés.

— Segundo a Isa me contou, tens passado as últimas férias enrolada com um russo, que te deixa louca. Isto para usar a sua própria expressão.

Matilde fita-o, nitidamente ofendida.

— E a história do russo que não viesse à baila...

Pausa. Engolem os cafés, e Manuel pede a conta. Paga, vestem os casacos, e Manuel despede-se do empregado. Matilde muda. No carro, Matilde sussurra, com a voz de vítima, que gosta de colocar em certas ocasiões:

— Se queres saber... não vejo esse homem há um século. Foste muito inconveniente!

— Tu, sim, foste inconveniente! Trataste grosseiramente o empregado do restaurante. Vou pensar muito bem antes de voltar a convidar-te para sair — critica Manuel, severo.

Silêncio pesado.

— Hoje não te convido para ir às Docas — prossegue Manuel, ligando o motor do carro.

— Ainda bem! Como deves imaginar, não aceitaria — declara Matilde, com aspereza na voz.

Manuel deixa Matilde à porta de casa. Ela fica a ver o carro afastar-se devagar.

XXIV

Dezembro de 2002

Tarde de domingo. Um manto de neblina envolve Lisboa. Se ficar em casa, Vasco sabe que adormecerá em frente ao ecrã de plasma. Levanta-se do sofá, espreguiça-se e liga a moto, sem destino traçado. Ir aonde, afinal? Uma cerveja num bar do Parque das Nações. Enquanto caminha pela calçada ao longo do Tejo, troca acenos de cabeça com dois ou três conhecidos. A neblina envolve-lhe o corpo e a alma. O Vasco da Gama aparece-lhe do seu lado esquerdo, pouco apelativo. Conhece de cor os corredores, as lojas, as cores das paredes, os rostos atrás dos balcões de cada uma das lojas que frequenta. Conhece de cor cada uma das salas de cinema, quase que cada um dos lugares de cada sala. Já viu todos os filmes e adormeceu em alguns. Apetece-lhe colo. O colo de Matilde vinha mesmo a calhar. Um sorriso pálido atravessa-lhe o rosto. Não se pode impedir de sentir uma certa pena de si mesmo. Sozinho, no meio da multidão que passeia pela calçada. Casais de mãos dadas, gritos de crianças, latidos de cães, bicicletas que o ultrapassam com vagar, percursos de pessoas com destinos traçados, naquela tarde de domingo. Uma necessidade enorme de estar com alguém. Mas quem poderá estar disponível para ele naquela tarde de domingo? Quem poderá estar sozinho como ele? Todos os homens divorciados estão sozinhos nas tardes de domingo em que não ficam com os filhos que resultaram de casamentos fracassados. Não se recorda de ninguém, que não Duarte. Duarte também estará sozinho. Pega no telemóvel e liga a Duarte. Ele tarda a atender. Voz ensonada do outro lado da linha.
— Estavas a dormir?

— Não... — responde Duarte, numa voz pouco convincente.

— Não!?

Silêncio do outro lado. Um som que se assemelha a um bocejo longo.

— Eh, pá, desculpa lá...

— Oh pá, não faz mal... diz lá...

— Estava a pensar ir até aí, mas...

— Vem, vem. Estou farto de dormir. Sempre bebemos umas cervejolas.

— OK!

Desliga o telemóvel e dirige-se ao Príncipe Real. Lisboa deserta às quatro horas da tarde. Onde estará Matilde a esta hora? Em Tróia com Martim. Por alguma razão, o miúdo teimou em ficar com a mãe nesse fim-de-semana. Argumentou que ela estava triste e que precisava dele. Estaciona a moto sem dificuldade e toca a campainha do palacete de Duarte.

Duarte abre a porta de roupão, ainda sonolento.

— Odeio acordar-te...

— Não sejas tonto! O que mais tenho é tempo para dormir...

Dirigem-se à sala de estar atapetada de obras de arte. Vasco deixa-se cair num sofá de veludo *bordeaux*, que aparenta ter, no mínimo, dois séculos. Duarte abandona a sala, para regressar com duas cervejas e dois copos invulgares, com bordos de ouro velho e desenhos de flamingos. Regressa à cozinha e traz um pão-de-ló caseiro e dois pratos de por-celana. Estende a Vasco um prato com uma fatia grossa. Serve as cervejas e recosta-se numa poltrona junto ao sofá. Vasco acomoda-se no sofá. A cerveja e o pão-de-ló na mesinha de apoio. Os mimos de Duarte. A seguir virão os bombons de conhaque, que traz das Feiras de Antiguidades de Itália. «A nossa amizade não mudou de sítio», pensa Vasco para com os seus botões. Sabe bem estar com os amigos de sempre, com aqueles a quem não precisamos de explicar nenhum dos nossos tiques. Poderá haver amigos para jogar *golf*, outros para ir às compras, outros para sair à noite, mas Duarte será o amigo de sempre, o grande amigo, o melhor amigo, como dizem as crianças e os adolescentes. Sim, Duarte é o seu melhor amigo. Amigo de infância, amigo do peito. E, no entanto, tanto tempo que passam sem se ver... Apesar de viverem os dois em Lisboa, apesar de estarem os dois sozinhos, apesar de não terem nada para fazer em alguns domingos. Vasco não tem memória de algum dia ter existido sem Duarte. Conheceram-se no Baleal. Os pais de ambos iam passar as férias de Verão à ilha. Conheceram-se quando Duarte ainda usava fraldas. Já nessa altura Vasco era um menino que queria mandar em todos os outros meninos. Dava ordens, planeava jogos, era o centro das atenções, um líder nato. As suas palavras eram ordens. Nem todos os miúdos iam nas histórias de Vasco. Alguns revoltavam-se, protestavam, mas acabavam por fazer precisamente o que ele pretendia. Duarte foi sempre o seu companheiro preferido. Calmo, reservado, dócil. O complemento ideal. Dormiam, invariavelmente, em casa de um ou em casa de outro. Consoante a vontade de Vasco. Falavam noites inteiras de tudo e de nada. Nos primeiros anos, das brincadeiras; na escola, dos professores, dos pais; com o rodar dos anos, das raparigas, das primeiras namoradas, dos primeiros beijos. Na realidade, era Vasco quem dominava a conversa, quem falava de si e das suas aventuras, do seu sucesso junto às mulheres. Duarte escutava pacientemente, e Vasco ia recebendo os seus sons de compreensão pela noite dentro até deixar de os ouvir e perceber que o amigo tinha adormecido. Falavam baixinho, noites inteiras. Noites de Verão, depois de aventuras partilhadas pelo forte, pela praia, pela vila de Peniche. Corridas atrás de cães, peripécias no forte, mergulhos na água, conversas com velhos pescadores contadores de histórias de barcos afundados junto à costa e de tesouros à espera de quem os encontrasse. Vasco deliciava-se com estas histórias, e, com catorze anos, comprou um equipamento de mergulho, convenceu o amigo a fazer o mesmo e partiram ambos à descoberta dos barcos piratas submersos para toda a eternidade nas costas do Baleal. Tardes inteiras à procura de tesouros nunca encontrados. Um velho baú em que guardaram botas velhas, pedaços de metal corroído, conchas e búzios. Talvez por ainda não ter descoberto nenhum tesouro, Vasco continue a tentar e insista no mergulho nas Caraíbas.

Sofreram em conjunto coisas muito antigas. Coisas pequenas, como amores não correspondidos, mas também coisas grandes, como a morte dos pais de Duarte. Foi essa a primeira vez em que estiveram juntos para além das férias de Verão. Duarte telefonou a Vasco, e Vasco esteve com ele, minuto a minuto, num sofrimento partilhado com total dedicação. Dias de uma escuridão profunda, avassaladora. Existe, pois, um passado em comum, algo bem mais profundo do que uma amizade de verões partilhados. É por isso que quando Duarte liga o leitor de CDs, coloca Norah Jones e alisa o cabelo com a mão, Vasco sente estar perante um gesto antigo. A sala imersa numa claridade parda. Vasco sabe que Duarte sabe que ele precisa de falar. Como quando partilhavam noites de insónia e as preenchiam com confissões de adolescentes.

— A minha vida está um caos... — começa Vasco.

— ...

— Não sei como é que isto aconteceu... Tínhamos tantos planos, projectos, lembras-te?

Duarte acena com a cabeça. O olhar perdido, em jeito de terapeuta.

— Queríamos ser felizes, casar com umas miúdas giras, ter filhos, ser ricos, ... bem, tu já eras rico...

— Não propriamente. E tu tens um filho.

— Pois, eu tenho um filho. Um miúdo genial, não é?

— Genial! — confirma Duarte.

— Um filho que eu não mereço...

— Não digas disparates!

— É verdade. Eu não o mereço. Assim como não mereci a mãe dele.

— Sempre a Matilde...

— Sempre a Matilde. É verdade. Podia variar, não era? Aparecer-te aqui com outro nome. Mas a verdade é que é sempre o mesmo nome e a mesma mulher. Matilde, Matilde, Matilde, até à exaustão.

— ...

— Será este o meu destino?

— ...

— Viver obcecado pela mesma mulher durante toda a minha vida?

— Os destinos também são traçados por nós mesmos.

— Tretas! Daria tudo para ter outro destino, para me apaixonar por alguém, para ocupar o meu pensamento com um outro objecto, que não aquele. Qualquer objecto, percebes? Tenho tentado de tudo, tenho tido tantas relações, tantas namoradas, tantos *flirts*...

— ...

Vasco engole o resto da cerveja e solta um esgar de raiva.

— E afinal o que é que ela tem? Podes dizer-me?

— Vi-a duas ou três vezes ao longe. Não a conheço. Como posso saber o que é que ela tem?

— A questão é essa. Mesmo que a conhecesses bem, não verias nada nela. Ela não tem nada de especial, percebes? É isso que me irrita. Se fosse uma mulher bonita, lindíssima, arranjadíssima! Mas é banal, totalmente banal, e veste terrivelmente mal. Fico doente só de pensar na maneira como se veste. As camisolas de *crochet* com motivos estranhíssimos. Da última vez vi-a com um *pullover* de *tricot* com duas ovelhas e um cisne e uma saia que devia ser dois tamanhos acima —

Vasco tem os olhos semicerrados, como que visualizando a sua ex-
-mulher —, uns *soquettes* brancos, imaginas? Uma bandolete escarlate
no cabelo...

— ...

— Conheço dezenas de mulheres mais bonitas, mas aquela sonsa
fez-me um feitiço, tenho a certeza. Lá em África fazem coisas dessas,
sabes disso, não sabes?

Duarte ri.

— Ri, vai rindo. «Yo no creyo en las brujas pero que las hay las
hay». Percebes? E tu também andas enfeitiçado com essa da *net*. Vê lá
se não te acontece o mesmo...

— Perdidamente enfeitiçado — confessa Duarte.

— Estás a ver? Finalmente confessas. As mulheres são seres demo-
níacos. Não te ponhas a pau, não! Acabas como eu. Louco! Completamente louco. E essa ainda pode vestir pior do que a outra.

— É-me indiferente a maneira como se vista. Estou louco por ela!

Vasco olha-o, preocupado.

— Finalmente reconheces... Olha, vou-me embora. É tardíssimo!
Se continuo aqui, ainda fico pior. Tu estás pior do que eu!

— O que é que esperavas que te dissesse?

— Queria que me explicasses uma coisa muito simples.

— Que era?...

— Que era: o que é que as pessoas fazem para se sentirem felizes?
Apenas isso.

Duarte abana a cabeça.

— Apaixonam-se!

Vasco abandona a casa de Duarte, inconsolável. Apaixonar-se para
quê e como, se está há anos apaixonado por uma mulher de nome
Matilde, que se importa tanto com ele como com o valor do produto
interno bruto do país em que vive. Zero! Simplesmente zero! E o que
estaria ela a fazer com Martim naquela tarde sem fim?

XXV

Dezembro de 2002

Decorrido um mês sobre o seu último encontro, Matilde telefona a Manuel e convida-o para irem ao cinema ver *Minority Report*. No final da sessão, Matilde sugere que vão até ao Stone's. Já no bar, Matilde mostra-se alegre e algo exuberante, indiferente ao tom do último encontro.

— Para a semana vou a Stirling. Queres vir comigo?

Manuel fita-a, surpreendido. Matilde a exibir um sorriso de gato de Cheshire.

— A nossa amizade não mudou de sítio, pois não? Por que não vais comigo? Fazias-me companhia...

— Qual é o sentido de te acompanhar?

— Como não me convidas para ir até à tua terra... eu convido-te para ires à aldeia da minha mãe. Tão simples, quanto isso. Se eu tivesse aldeia, convidava-te para ires até lá. Infelizmente, nasci em Lisboa, num sítio tão exótico como a maternidade Alfredo da Costa, freguesia de São Sebastião da Pedreira. Não sei se já ouviste falar...

Manuel sorri. Matilde tem o condão de lhe determinar os humores.

— Se querias que fosse, podias ter-me convidado há mais tempo... quando é que é esse voo?

— No próximo sábado!

— Obviamente já não há lugares!

— Enganas-te! Há um lugar reservado até amanhã de manhã na Air France.

— És louca! Reservaste um lugar para mim, sem saberes se...

— Nunca foste a Inglaterra e sempre quiseste ir...

— E as consultas? E o Hospital?

— Desmarcas. Uma loucura de quando em quando só lhe faz bem, Doutor! Há quanto tempo não faltas a uns compromissozinhos?

Manuel reflecte.

— É uma proposta tentadora!

— Vinda de mim... só poderia ser.

— Dou-te uma resposta amanhã.

— Não! Hoje! Agora! Tenho de confirmar a reserva até às dez horas de amanhã. Dez horas da manhã. É pegar ou largar...

— Air France? Isso significa uma paragem no aeroporto de Paris?!

— *Yes*! Era o único voo em que havia duas vagas. De resto, Paris é Paris. Podemos procurar o meu chá preto na *free-shop*.

— És louca!

— E então? Pegas ou largas?

— Pego!

— Muito bem! — declara Matilde, triunfante. — Espero não me arrepender de te levar. És tão chato!

Manuel fita-a, surpreendido com a sua própria decisão.

XXVI

Dezembro de 2002

Duarte a dedilhar, freneticamente, as teclas do seu PC.

— Sabes, *Butterfly*, talvez possamos encontrar uma qualquer forma de equilíbrio, por entre o barulho da cidade grande, por entre o ar pesado, a chuva forte, a poalha de sol nos telhados negros...

— Já encontrámos esse equilíbrio...

— Escrevi um poema. Queres que to diga?

— Claro!

— «Quando fico assim
Sozinho
Com todo o tempo do mundo
Só para mim
Penso em ti
Conto e reconto
Os minutos
Um a um
À espera do momento
Em que vai surgir
O teu sorriso
No meu ecrã
E em que vais falar comigo
Como se da primeira vez
Se tratasse
Fico assim suspenso
No tempo

Penso nos olhos escuros
Cor de ébano
Na boca de mel
Tão meiga, tão doce
No nariz aquilino
Que odeias
E que eu não trocava
Por qualquer outro
No mundo
No cabelo
Agora tão curto
Que gostaria de despentear
No corpo alto e delicado
Nas mãos
Que me incendeiam
Mesmo sem me tocares
Na voz
De menina
Que imagino teres
E assim permaneço desperto
Nestas tardes de neblina e tédio
Em que as horas são séculos
E em que o dia só existe
A partir do momento
Em que surges
E em que corres
Ao meu encontro
Nas teclas do computador
Como se da primeira vez
Se tratasse»

— ...
— Sabes para quem escrevi este poema?
— Não...
— Para ti. Sem nunca te ter visto... imaginando...
— ...
— Estou perdidamente apaixonado por ti, *Butterfly*. Preciso de te conhecer.
Longos minutos sem resposta.
— Também estou apaixonada por ti.
— E então? Vamos combinar um encontro?

— Tenho medo.
— De quê?
— De desilusões.
— Não haverá desilusões.
— Prometes?
— Prometo!

XXVII

Dezembro de 2002

No sábado, Matilde e Manuel juntos no voo da Air France para Paris. Manuel dormita, Matilde folheia uma revista. Deixa que ele encoste a cabeça ao seu ombro. O seu querido Manel! No Charles de Gaulle, uma das malas de Matilde apita ao passar na máquina de controlo. «*Avez-vous des ciseaux?*», berra o funcionário, rudemente. Matilde não se recorda do significado da palavra «*ciseaux*» e Manuel traduz: «Tens alguma tesoura?» Matilde, impávida, acena afirmativamente. É claro que tem uma tesoura. O funcionário inspecciona a mala, violentamente, retira a tesoura, atira-a para dentro de um recipiente de plástico em que se encontram outros objectos apreendidos, enquanto solta um fraseado imperceptível. Matilde dirige-lhe um olhar gélido. Os outros passageiros fitam-na, inexpressivamente.

— Estás louca! Então depois do 11 de Novembro... não sabes que não podes andar com tesouras na bagagem de mão?

— Trouxe o *tricot*. Preciso de uma tesoura para cortar a lã. — protesta Matilde.

— Vais para Stirling fazer *tricot*? — inquire Manuel, perplexo.

— Faço *tricot* em todo o lado. Até na urgência, quando não tenho trabalho e quando a *net* está ocupada.

— Lindo! Lindo! Gostava de te ver!

Porta F14 para Edimburgo. Avalanche de chineses ordenados, munidos dos últimos modelos das câmaras de filmar *Sony*. Quinze minutos para o *boarding*. Tempo para comprar uma sanduíche e um sumo a preço exorbitante.

180

No aeroporto de Edimburgo as malas são levantadas num ápice. Matilde explica que devem apanhar o autocarro para HayMarket. Quando viaja, Matilde tem sempre os percursos planeados ao pormenor. Apesar de tudo, na estação de comboios de HayMarket, demora algum tempo até encontrar a plataforma vinte, da qual partirá o comboio para Stirling. Já no comboio, Manuel observa:

— Estava difícil encontrares a plataforma 20...

— Parecia a plataforma-fantasma do filme do Harry Potter, *A Pedra Filosofal*. Viste o filme?

Manuel acena negativamente.

— Então não consigo explicar-te. Quando o Harry vai estudar para a Escola de Magia e Feitiçaria de Hogwarts, tem de apanhar um comboio numa plataforma que não existe.

Manuel confuso.

— Enfim, teria de te explicar quem é o Harry Potter... às vezes parece que vives noutro mundo, Manel...

Manuel sorri.

— Isso não é um filme para crianças?

— Para crianças e para adultos. Fui vê-lo com o Martim que, de resto, adorou. Ele devora os livros do Harry Potter. Já os leu todos.

— Cala-te e observa as vaquinhas.

Matilde espreita pela janela. Avistam-se vaquinhas pretas, brancas e malhadas a pastarem tranquilamente em campos de um verde que só existirá na Escócia. Montes de fardos de palha, de forma oval, acumulam-se nos campos. Mais vaquinhas. Matilde observa uma mulher gordinha, vestida de vermelho, que lê um livro de auto-ajuda, cujo título em português seria algo do tipo: *Como pôr-se de pé, depois de o mundo a deitar abaixo*. A gordinha embrenhada na leitura, e Matilde a matutar em qual será o seu problema. Violação? Desamores? De quando em quando, a paisagem recorda-lhe o Alentejo distante. Cheiro intenso a estrume. Casinhas dispersas. Telhados pretos. Paredes de madeira, de ripas castanhas. Águas-furtadas. Estação de Polmont. Urzes em tons de rosa. Stirling é a sexta ou a sétima estação depois de HayMarket. Matilde e Manuel tão adormecidos pela paisagem e pela figura da gordinha de vermelho, que por pouco não saem a tempo.

— E agora? — pergunta Manuel.

— Agora temos de procurar um sítio onde ficar. São cinco horas. Está quase a anoitecer. É tarde para procurarmos a morada que tenho.

— De quem é a morada?

— Da irmã da minha mãe, a tia Eve. Será a pessoa indicada para nos mostrar a casa onde vivia a minha mãe... e os meus avós.

Encontram uma estalagem com facilidade. Matilde mergulha num estado de nostalgia. Deitam-se cedo, conforme os hábitos locais. No dia seguinte, pela manhã, apanham um táxi de tamanho XL e chegam com facilidade a casa da tia Eve, que não tarda em reconhecer Matilde apesar de só a conhecer por fotografias. Abraça-a efusivamente, abraça Manuel, que toma por marido da sobrinha. Depois de uma chávena de chá e de uns *scones*, Matilde visita a campa da mãe. Manuel e Eve deixam-na sozinha. Matilde nostálgica, mergulhada em recordações. Depois da visita à campa, Matilde pede a Eve que lhe mostre a casa onde vivia a mãe. Eve explica-lhe que a casa dos avós foi há muito vendida e que os actuais proprietários residem em França. Assim, Matilde apenas pode contemplar a casa por fora. É uma pequena casa rural, branca, de janelas às ripas, de paredes atapetadas por trepadeiras. Regressam a casa da tia Eve. Durante o jantar, a tia Eve, criadora de gansos, conta que Mary-Anne era uma jovem ambiciosa e que, ao contrário dela própria, que nunca teve ambições académicas, Mary--Anne sempre quis estudar. Fala-lhe da paixão da mãe por literatura e por Bernardo Silva Lapa.

— Foi amor à primeira vista! Eu e os teus avós percebemos que íamos perdê-la. Stirling era demasiado pequena para os sonhos da tua mãe. Edimburgo poderia proporcionar-lhe algumas oportunidades, mas a hipótese de ir para Portugal representava a possibilidade de uma mudança para um clima mais ameno. A sua saúde era muito frágil. Se Mary-Anne tivesse continuado a viver cá, talvez não tivesse vivido tanto tempo...

No avião, rumo a Paris. Matilde mergulhada em meditações. Silenciosa. Apenas sussurra ao ouvido de Manuel:

— Como vês... estavas enganado quando dizias que ela era uma mulher armada! Era uma pessoa muito simples, transparente como água. Deve ter sofrido horrores no meio pretensioso que o meu pai frequentava.

XXVIII

Dezembro de 2002

Quinta-feira à tarde. Matilde e Lurdes no consultório.

— Falar-lhe de Vladimir... Não o vejo desde Agosto de 2000. Já lá vão mais de dois anos. A rotina no Hospital ajuda-me a viver cada novo dia. Um de cada vez. Tal como um toxicodependente em recuperação. Partilhar os dias, a partir das seis horas da tarde com o meu filho, ajuda-me a prosseguir em frente. Sem me deixar ir ao fundo. Com a aproximação do Natal as saudades que tenho do Vladimir agravam-se. As pessoas andam nas ruas de Lisboa carregadas de sacos e embrulhos. À noite, as ruas estão iluminadas com luzes que piscam. Há alegria no ar. Aquela alegria que roça a histeria colectiva. Todos fazem os últimos preparativos para a Consoada, rodeados da família e dos amigos. Eu não tenho família, para além do Martim. O Martim, que vai passar a Consoada a casa dos avós paternos. Com os avós, com os tios e com os primos. Não que isso signifique alguma coisa de verdadeiramente importante, porque essas pessoas não se querem bem umas às outras. Ninguém se ama na família do Vasco. Mas sempre fazem número. Todos os anos o Martim vai passar a Consoada a casa dos avós. O pai quer assim, e eu aceito. De resto, o que faria o miúdo sozinho comigo numa noite de Natal a olhar para o vazio? O Natal quer-se com muita gente e em clima de festa. Com muita gente e muitos presentes. Risos no ar e um aroma a carne assada ou a bacalhau cozido. Misturado com o doce cheiro das rabanadas. Os gemidos do abrir dos presentes, depois da missa do galo. Os meus Natais não são assim. Sento-me sozinha à frente da árvore de Natal, que fiz com o Martim e só por causa do Martim, e abro os presentes que comprei a mim mesma. Gosto de me oferecer presentes. Se o não fizer, quem o fará? Se não gostares de ti, quem gostará? Presentes caros, de preferência. Mais do que um, para fazer número. Devo reconhecer que outras pessoas para além de mim mesma, me oferecem presentes. O tio Salvador oferece-me sempre um presente. Normalmente uma peça de roupa. Quente. Uma boina, um cachecol, umas luvas. O Martim faz sempre um presente para mim no colégio, e sempre que o abro, fico com os olhos repletos de lágrimas. O pai também costuma dar-lhe dinheiro para ele me comprar um presente a seu gosto. Gosta de me oferecer álbuns, daqueles grossos e caros com excelente fotografia. Livros de pintura, de fotografia e de decoração. Interiores da Provença, de Paris ou de Nova Iorque. Paisagens aéreas, livros de flores. Sei que os compra com a ajuda do pai, mas fico sempre comovida com o seu bom gosto. Quem mais me oferece presentes pelo Natal? Ah, sim... a minha amiga Isa. Tornou-se um hábito. Trocamos presentes desde que nos conhecemos, desde o tempo de Moçambique. O Manel também me dá sempre um presente. São variáveis de ano para ano. Chocolates, flores, *écharpes*, perfumes... depende. Ultimamente anda na maré dos perfumes. São sempre perfumes demasiado quentes para o meu gosto, e acabo por não os usar e por os dar à minha empregada. Mas não lho digo, para não o magoar. Sei que se esforça muito. Sinto falta de um presente de Vladimir. Penso que poderia perfeitamente enviar-me qualquer coisa da Rússia. Pensei em tomar a iniciativa e fazê-lo, mas depois desisti da ideia. Tenho pena de que nunca me tenha comprado um presente. Talvez porque receber presentes tenha sempre sido muito importante para mim. Gosto de dizer às outras pessoas que não ligo nada a presentes, mas não é verdade. Adoro receber presentes. É verdade que também gosto muito de oferecer presentes aos outros e de confirmar, pelo brilho dos seus olhos, que gostaram. Sou muito boa a escolher presentes para as pessoas. O Vasco costumava dizer que eu era especialista na matéria. Não é fácil comprar um presente para uma pessoa. É preciso conhecê-la muito bem, conhecer os seus gostos e os seus interesses. Por isso mesmo, só ofereço presentes às pessoas que conheço bem e de quem gosto muito. De outra forma, não faria sentido. Vladimir conhece-me bem. Poderia comprar-me um presente. Imagino que compre muitos presentes para os pais e para os irmãos. Para a mulher e para o filho. Por que não para mim? Será que algum dia terá pensado nisso? Se imaginasse o quanto eu gostaria de receber um presente dele, tenho a certeza de que o faria. Mas isso ele não sabe. Há sempre partes de nós, que ninguém, mas mesmo ninguém, conhece.

Só nós mesmos. Partes que guardamos para nós como sagradas e intocáveis, e que nunca partilhamos. Partes de nós com as quais havemos de morrer. Esta é uma delas. Claro, estou agora a dizer-lho a si, Lurdes, mas você é como se não existisse. Compreende, não é? Talvez porque seja uma infantilidade, não sei. Gostaria de perceber a origem desta mania dos presentes, mas não tenho bem a certeza. Os meus pais costumavam oferecer-me roupa no Natal. E eu não gostava nada que me oferecessem roupa. Roupa não é presente, cheguei a dizer-lhes, mas eles não perceberam a importância do que lhes dizia. Darem-me roupa não era presente, porque eles tinham obrigação, na qualidade de meus pais, de me comprarem roupa. Queria brinquedos e outras coisas. Mas eram raros. Roupa era um bom presente. Fazia sempre falta, comentava o meu pai. Dava jeito, acrescentava. Nunca ofereci roupa ao Martim nos Natais. Sempre lhe comprei muitos brinquedos. Coisas supérfluas. Para descobrir o riso a bailar no fundo dos seus olhos. É um segredo meu, este dos presentes. Além disso, também gosto de presentes caros. Porquê? Talvez porque, quanto mais caros forem, mais significam que a pessoa que mos oferece gosta de mim, que investe em mim, que gasta dinheiro comigo. Sei que isto é um disparate, e que não é, de facto, assim. Mas, mesmo assim, prefiro presentes caros. Quanto mais caros forem, mais feliz me sinto. É estúpido, mas é assim.

— O que aconteceu no Natal de 2000, depois de ter estado com Vladimir na Sardenha em Agosto?

— Naquele Natal de 2000 nenhum presente me chegou da Rússia. Nem nenhum embrulho, nem nenhum cartão. Por volta das onze horas da noite, do dia vinte e quatro, o telefone tocou. Eu, imóvel, de olhar perdido nas luzes da árvore. Novo toque. Sabia não ser o Martim. Ele tinha o hábito de nesses dias me telefonar depois da meia--noite. Não seria Salvador, porque ele gostava que fosse eu a telefonar-lhe. Atendi. Do outro lado da linha, a voz de Vladimir. Audível e próxima: «*Merry Christmas!*». Respondi como um autómato: «*Merry Christmas!*». Ele queria saber como eu estava, se me sentia feliz. Tinha a voz tocada e era óbvio que bebera um pouco. Respondi--lhe que estava sozinha e que sentia a falta dele. Do lado de lá do telefone ouvia-se o som de vozes. Devia estar com muitas pessoas, porque se ouviam risos, vozes e gargalhadas. Perguntei-lhe onde estava e com quem. Respondeu que em casa dos pais, com a família. Deixei-me ficar. Amuada. Disse-me que me trazia na alma e que sentia muito a minha falta. Recordou-me que na terra dele já passava das duas horas da manhã. Por causa das três horas de diferença horária. Quis que soubesse que tinha feito as contas, de forma a telefonar-me antes das doze badaladas. Não lhe fiquei particularmente agradecida. Pensei que era o mínimo que podia fazer, atendendo a que era ele o grande responsável pelo estado em que me encontrava. Depois disse-me que ia ter de desligar, porque estava a usar o telefone dos pais e ia gastar muito dinheiro. Apeteceu-me matá-lo mas disse apenas: «OK». A chamada terminou e desatei num pranto convulsivo. Quando, finalmente, me consegui controlar, passava da meia-noite. Afinal, apesar da sua boa vontade, fizera-me perder as doze badaladas. Não que isso se revestisse de qualquer significado particular.

XXIX

Dezembro de 2002

Angel e *Butterfly* combinam um encontro longe do bulício da cidade grande. Um jantar romântico numa praia da Costa da Caparica: Praia da Morena. Num dia de semana, para que a privacidade seja maior. Graças a descrições físicas pormenorizadas dedilhadas nas teclas do computador, ambos conhecem a aparência física do outro. *Angel* sugeriu, por uma questão de precaução e animado por um eventual enlevo romântico, que cada qual se dirigisse ao encontro, transportando uma espécie de sinal identificador. Acordaram, pois, que *Angel* vestisse uma camisa verde-água e que *Butterfly* envergasse uma saia vermelha. Na data acordada, cada um despendeu parte substancial do seu dia procurando embelezar-se para o outro, como se de um primeiro encontro de adolescentes se tratasse.

Às oito horas da noite em ponto, *Angel* e *Butterfly* encontram-se face a face, na esplanada do restaurante, com o coração aos pulos e um rubor a inundar-lhes as faces. Fitam-se longamente, como se as palavras mais não fossem do que elementos acessórios naquele contexto. É *Angel* ou, melhor, Duarte, quem primeiro fala:

— *Butterfly*... és ainda mais bonita do que poderia imaginar em sonhos!...

Os dois sentados, lado a lado, na esplanada com vista sobre o mar.

— Tu também não és nada feio! — murmura *Buttefly*, perdida na beleza do rosto de *Angel*, mergulhada nos seus olhos claros e entretida na contemplação dos caracóis louros que lhe emolduram o rosto.

— E eu que nem o teu nome sei...

Duarte sorri. É verdade que sabem muito um sobre o outro, mas que desconhecem um elemento essencial: os nomes de baptismo, o primeiro ou um dos primeiros elementos que se dá a conhecer ao outro numa relação amorosa.

— Duarte.

— Isabel. Isa para os amigos.

Silêncio longo. Sorriem, inebriados pela luz da paixão.

É assim que se começam a conhecer. Devagar, aos poucos e poucos, sem pressas nem solavancos. A medo. Com medo de perder o tanto que foram construindo. Conhecidos que estão os gostos, as preferências, as manias, os desejos, o passado e os projectos, cumpre agora descobrir o toque dos dedos, o brilho dos olhares, a textura dos cabelos, os tiques, os pequenos e grandes defeitos, formas de andar, de sorrir, tonalidades das vozes, sabor das lágrimas, soar das gargalhadas, silêncios, suspiros, ritmos de respirar, de amar, cheiros do corpo, hálitos e humores, temperatura das peles e todos os múltiplos invólucros da alma. São dias de consagração aos sentimentos de enamoramento, imersos e aconchegados num estado quente e acolhedor que é o estado dos seres bafejados pela seta de Cupido. Sonhos, partilhas, trocas, poemas, frases de amor, gestos de ternura. O mundo dos seres enamorados é definitivamente um outro. Encantado e mágico. Por vezes duradouro ainda que jamais eterno.

Duarte murmura ao ouvido de Isa: «Tudo o que sou sois vós.» Shakesperiano.

Isa escreve-lhe assim:

«O teu corpo estendido na areia. Bronzeado. Olho-te e apercebo-me do quão belo és no meu olhar. Um deus grego. Amo cada milímetro do teu corpo, cada ruga, cada prega de pele, cada poro. Beijo cada centímetro de ti com o meu olhar. O território que é o teu corpo. Conheço a textura e o sabor de cada pedaço de ti, a rugosidade de cada bocado, a suavidade atrás das orelhas, o sabor a sal do teu pescoço. Cheiras a maresia, a sândalo e limão, a aromas bons. Maçãs vermelhas duras, laranjeiras em flor. Perto de ti sou invadida por ondas de aromas frescos, revigorantes, sensuais e exóticos. O teu corpo encerra a alma mais pura do universo, a mais frágil, a mais doce, a mais translúcida. A alma pura de uma criança que nunca deixaste de ser. Basta um simples olhar, um toque de dedos húmidos, uma carícia ligeira, para encontrar o trajecto mágico que a ela conduz.

E assim se vão amando.

XXX

Dezembro de 2002

A vida rocambolesca na mansão do Restelo. Dia após dia, mês após mês, ano após ano. Após vários anos de dolorosa convivência, os ânimos apaziguam-se. Salvador sente-se velho e cansado e as temporadas de internamento no Miguel Bombarda em nada contribuem para o seu bem-estar. Doroteia, começa a exibir sinais de um certo cansaço das lutas que antes emprestavam colorido aos seus dias. Até no papagaio *Zacarias* começam a transparecer sinais de um certo cansaço, e o animal esquece-se, cada vez mais frequentemente, das suas ladainhas. Limita-se a emitir uns sons esganiçados e vagos, a que Salvador responde com uma indiferença que roça a benevolência. No último Verão, o papagaio esteve seriamente doente, e Salvador pensou que teria os dias contados. Como que por milagre, recuperou, lentamente, mas nunca voltou aos seus velhos dias de glória, em que enfrentava Salvador de cabeça erguida e resposta pronta.

Dias há em que, como que por distracção consentida, Doroteia prepara as refeições a Salvador e/ou vice-versa, apesar de esta situação ser mais rara. É precisamente isso que sucede na manhã do dia 22 de Dezembro, manhã em que Doroteia se recosta numa cadeira da copa, queixando-se da ciática e das varizes. Enquanto escuta o murmurar das suas queixas, Salvador ferve o leite, coa a cevada e faz as torradas, que barra com geleia de damasco preparada por Doroteia com os suculentos damascos do jardim. Sem açúcar para ele, adoçante para ela, pouca geleia para ele, muita para ela, leite escuro para ela, quase claro para ele. Gestos que o tempo se encarregou de sedimentar, sem que perguntas sejam necessárias. Senta-se ao lado dela na mesa da copa, a testa franzida, mais perto do que é habitual. Comem em silêncio. Doroteia tem os olhos baixos e uma expressão de dor desenhada no rosto envelhecido. Salvador olha-a, de soslaio, por entre dois golos de cevada. Tão bela como no primeiro dia em que o olhar dela cruzou com o seu na recepção do consultório do irmão. Bela como em todos os dias em que se cruzaram no espaço daquela cozinha, mas, pela primeira vez, olhar esvaziado de desafio, conciliador, pacífico, o que a torna ainda mais bonita. As rugas cavam-lhe o rosto, uma a uma, sem perdão. Longas e finas, dispersas por todo o rosto, mas mais concentradas na zona dos olhos, da boca e, naturalmente, do pescoço. Implacáveis! Os olhos outrora azuis intensos, clarearam e são agora quase cinzentos. O decote do roupão de seda às flores deixa antever um pescoço encarquilhado embelezado por um crucifixo de ouro, de uma beleza invulgar, decerto oferta do seu falecido amante. As mãos esguias e ásperas, que mexem a cevada num movimento semelhante ao dos ponteiros de um relógio, sem cessar, como que animadas por um qualquer mecanismo.

Ao lume, Doroteia tem uma canja a cozer para o almoço. A contar com Salvador, se se atender à quantidade. Lá fora, a chuva cai, de mansinho, como que não ousando perturbar aquele momento de paz inesperada. O silêncio, apenas quebrado pelo cair doce da chuva lá fora, da fervura da panela de canja e do bater da colher de Doroteia de encontro à chávena, é como que um líquido quente que os envolve e aproxima. Doroteia é, pela primeira vez, uma espécie de Miss Marple sem enigmas. Vulnerável e exposta sob a luz crua da manhã, que persiste em penetrar, por entre as cortinas de renda, apesar da chuva miudinha. Salvador pensa que deveria dizer alguma coisa, animá-la um pouco. Mas as palavras entre eles foram sempre complicadas. Naquela manhã de 22 de Dezembro, Salvador sente que desperdiçou anos da sua vida a maltratar aquela mulher, quando, provavelmente, poderia tê-los dedicado a construir alguma coisa com ela, quem sabe uma espécie de relação. Abana a cabeça como que para afastar aquela ideia demente, e Doroteia desperta do seu torpor com o seu abanar de cabeça.

— Diga, Salvador...

Salvador abana a cabeça vigorosamente.

— Não disse nada — explica com o ar mais infeliz do mundo.

Fitam-se por momentos. Olhos nos olhos. Durante tempo de mais e de forma diferente da de sempre. Salvador estremece. É Doroteia quem retira o olhar.

— Olhe, eu sei que isto não está no acordo, mas...

— Diga, diga, Doroteia — suplica Salvador, olhando-a com uma ansiedade não disfarçada.

— Se me pudesse acompanhar até ao quarto. Não me sinto com forças para ir sozinha...

Salvador levanta-se da cadeira, num pulo, e corre até Doroteia, apoquentado. Decerto ela se sentirá pior do que ele pensara. De outra forma, nunca lhe dirigiria tal pedido. Com alguma relutância, ela permite que ele lhe envolva o corpo com o braço direito, e que a ajude a encaminhar-se até ao seu quarto, cambaleante. Saem da copa, atravessam o vasto átrio e entram no quarto de Doroteia. Ele abre-lhe a cama por fazer e ajuda-a a deitar-se. Resignada, ela consente, súbita e estranhamente ruborizada. Salvador aconchega-a nos travesseiros e senta-se junto ao leito, sem sequer pedir permissão para o fazer:

— Vou chamar um médico.

Ela acede, sem relutância.

No espaçoso *hall*, Salvador marca o número do telemóvel de Manuel, que sabe de cor de tanto o marcar. Trémulo, explica-lhe a situação e Manuel tranquiliza-o. Diz-lhe que um psiquiatra não será o ideal numa situação do tipo, mas que vai enviar um amigo à mansão, com a brevidade possível. Decorridos quarenta e cinco minutos, o colega de Manuel chega à mansão e observa Doroteia. Imóvel, no *hall*, Salvador espera, ansioso, pelo veredicto. Finalmente, o médico abandona o quarto. Salvador corre em seu alcance, a expectativa espelhada nos seus olhos.

— E então, Doutor?

— Achaques da idade, Doutor Salvador. A idade não perdoa.

— Mas que tem ela?

— A sua mulher está com o coração muito débil. É a angina de peito.

Salvador estremece com a expressão «a sua mulher». Não considera necessário esclarecer a situação. Seria demasiado complicado. E assim está bem. Fica ridiculamente feliz por aquele homem pensar que Doroteia é a sua mulher.

— Ah, a angina de peito... — Salvador não imaginava que Doroteia sofresse de angina de peito.

— Tem aqui a medicação. Siga-a à risca. E muito repouso, muito repouso. Uns dias de cama, percebe? Com caldinhos de galinha.

A expressão «caldinhos de galinha» e o cheiro a esturro que vem da cozinha chamam Salvador à realidade. Corre até à cozinha, não a tempo de salvar o caldo de galinha. Retorna ao *hall*, estonteado.

— Desculpe, Doutor...

— Tinha canja ao lume?

Sorriem. Salvador paga sessenta euros sem reclamações, e o médico passa-lhe um recibo para o IRS em nome de «Doroteia Prazeres das Dores». Obrigado a ir, à socapa, perguntar o nome completo à «esposa», porque, como explicou pouco convictamente ao doutor, com o susto, nem se lembrava do nome dela. Após a saída do médico, avisou Doroteia que ía à farmácia. Comprou os medicamentos e, de caminho, comprou um frango de aviário, meia dúzia de ovos e dois saquinhos de massa para a canja esturrada. A partir desse momento, Salvador transformou-se por completo. Dedicou-se de corpo e alma à tarefa de tratar da sua querida «esposa», e demonstrou ser um «marido» devotado. Doroteia não esboçava qualquer sinal de perplexidade perante os acontecimentos e, quem observasse a cena do exterior, concluiria tratar-se de um vulgar casal de idade, que o amor unira para sempre. Salvador sustentou heroicamente a situação, ao longo de seis dias. Ao sétimo dia, Doroteia chamou-o e confessou:

— Salvador, agradeço-lhe do fundo do meu coração tudo o que está a fazer por mim... mas era preciso alguém que me ajudasse a lavar...

Salvador fitou-a, paralisado.

— Sabe, começo a sentir-me um pouco... suja... Compreende, não é?

Salvador abanou freneticamente a cabeça em sinal de entendimento, mas sem saber exactamente como resolver a situação.

— Não sei se nos Serviços Sociais da Câmara... — aventurou Doroteia.

— Pois...

— Vivendo nós neste palácio, ninguém ia acredita que precisamos de ajuda, não é?

Salvador concordou.

— Sabe, eu amealhei algumas economias. Não muitas, mas sempre dá para resolver esta situação, por uns tempos... e também lhe queria pagar o que tem gasto comigo na farmácia e na mercearia...

Salvador segurou-lhe a mão com força e exclamou:

— Não fale dessas coisas! Descanse que eu resolvo o assunto. Nestes assuntos que têm a ver com o coração, o importante é a calma. Fique tranquila!

Esboçou uma carícia, que não chegou a concretizar e abandonou o quarto, com uma ideia a animar-lhe os passos — telefonar a Matilde. Matilde, decerto, saberia o que fazer.

Matilde não queria acreditar no que ouvia. A história de Salvador era de tal modo inverosímil, que Matilde julgou que ele estava com uma das crises habituais. Depois de desligar o telefone, falou com Manuel, que, pacientemente, lhe confirmou a história e a ida de um médico à casa do Restelo. Matilde pegou no carro e dirigiu-se a casa de Salvador. Perplexa, presenciou a cena mais bizarra que já alguma vez tinha visto. Doroteia bebericava um chá de tília de uma chávena que Salvador segurava na mão, enquanto os dois trocavam sorrisos cúmplices e pequenos gestos de carinho. A boca de Matilde estava aberta de espanto, enquanto escutava a história da boca de Doroteia, que concluiu a narrativa com a seguinte frase:

— ... e o Salvador tem sido maravilhoso comigo! Estou-lhe eternamente grata — e colocou a mão fechada de encontro ao coração. Salvador escutava as suas palavras, embevecido, e Matilde sentiu vontade de rir perante tal cenário. Explicou a Doroteia que tinham no Hospital voluntárias que trabalhavam com idosos e que decerto providenciaria alguém que a fosse lavar todos os dias. Antes de sair, não deixou de enviar a Salvador um expressivo piscar de olho, a que ele reagiu com um ar desentendido. De regresso a casa, Matilde entrou em contacto com uma empresa de apoio domiciliário e contratou uma enfermeira que fosse tratar de Doroteia diariamente e que se encarregasse também da confecção das refeições. Sabia que, se o tio ou Doroteia soubessem que estava a pagar a alguém, não aceitariam o serviço, e seria difícil encontrar uma solução de voluntariado com o número de idosos que necessitam diariamente de cuidados desse tipo em Lisboa em situações bem mais precárias do que as de Doroteia. Seguidamente, dirigiu-se a casa de Manuel, que a recebeu de roupão e óculos na ponta do nariz.

— Desculpa vir sem avisar. Interrompi as tuas leituras? — entrou pelo apartamento dentro com a familiaridade habitual.

— Um dia destes entras pela minha casa dentro e encontras alguma mulher estendida num sofá...

Matilde fitou-o e exibiu um ar de total incredulidade. Manuel convidou-a a sentar-se e seguiu-lhe o exemplo, tirando os óculos e afastando para o lado um livro de História da Civilização Oriental, que estava a ler.

— Não vais acreditar no que aconteceu ao Salvador... — começou ela, de olhos brilhantes.

— Ele está mal outra vez? — inquiriu Manuel, preocupado.

— Não, ele está óptimo! Na realidade nunca antes o vi tão bem — explicou Matilde, sorrindo com ironia.

Manuel olhou-a com curiosidade, e Matilde contou-lhe a história de Salvador e Doroteia. No final, Manuel observou, divertido:

— As histórias têm desenlaces curiosos. A minha esperança é que um dia também a minha sofra uma reviravolta.

Matilde mergulhou os olhos no chão, num trejeito de desentendimento.

XXXI

Dezembro de 2002

Matilde escreve a Isa. Sobre Vladimir.

«Quando o conheci, senti-me renascer. Havia muito tempo que não me sentia assim. A flutuar no espaço. O mundo girava à minha volta em rotações aceleradas, e era-me difícil pensar com calma no que quer que fosse. Uma energia nova e quente tomava conta de mim e sufocava-me. Eu exultava em cada novo dia. A presença dele aquecia-me o corpo e os sentidos, e sentia-me a pairar sobre nuvens de algodão. Era uma sensação estranha e viciante. Por vezes, sentava--me junto ao mar, e procurava convencer-me de que não se passava nada de estranho comigo. Que estava apenas a apaixonar-me. Milhões de pessoas no planeta ter-se-iam sentido assim pelo menos uma vez no decurso das suas vidas. Respirava fundo, e tentava levar as coisas com naturalidade, mas as minhas intenções não passavam disso mesmo, de intenções. Sempre que o vislumbrava, a minha cabeça girava a cem à hora, a minha pulsação acelerava e ondas de suor perpassavam pelo meu corpo, deixando-me num estado semelhante à loucura. Não dizia coisa com coisa e não fazia nada certo. O olhar dele fixava-se em mim de uma forma, que fazia o meu corpo estremecer em convulsões de desejo. Percebia que não conseguia controlar a situação, e que, a qualquer momento, poderia cometer uma loucura. Quando hoje me recordo destas sensações, elas parecem-me longínquas e desconexas, difíceis de reconstituir. Hoje, sinto-me a anos-luz de tudo isso, e é-me difícil acreditar que a pessoa que hoje sou, seja a mesma que esteve apaixonada por aquele homem. Tudo parece ter acontecido há anos-luz. Tudo parece ter

195

acontecido com uma outra pessoa, que não eu. Uma pessoa viva, plena de energia, infinitamente sedutora e desejável, jovem e plena de vitalidade. Uma pessoa, que não eu. Eu sou, simplesmente, uma mulher de quarenta anos. Envelhecida, fraca, sem passado nem projectos de futuro. O meu corpo arrefecido começa a deixar-se sulcar por esboços de rugas, a minha força extinguiu-se há muito tempo. Sinto frio e reumático. Um cansaço profundo toma conta de mim e faz que sinta necessidade de dormir uma sesta depois do almoço. As minhas sestas prolongam-se por mais tempo do que o desejável, e alturas existem em que desejaria dormir para sempre. Atravessa-me a ideia de tomar comprimidos milagrosos que me deixem dormir até à eternidade. Nada no mundo lá de fora me é particularmente apelativo. Nem as fantásticas montras dos centros comerciais, nem os filmes, nem mesmo os livros. Sinto-me afundar com lentidão num oceano de penumbra e melancolia. Gostaria de morrer devagar, a ouvir Bach. Queria uma morte indolor e natural, sem notas de trágico ou de épico. Sem a luz daquele homem, não sou ninguém. Apenas existia, na medida em que ele existia, na medida em que sentia que eu própria era uma criação sua. A sua luz era intensa! Tão intensa que corria o risco de queimar os outros, de deixar as minhas asas queimadas perante a chama do seu desejo. Era tão bom estar com ele! Sentia o meu corpo aquecido, deliciosamente aquecido, revigorado, desperto. Tinha aqueles olhos intensos e claros, que me mergulhavam em estados de êxtase, as suas mãos eram pequenas e fortes, determinadas. Quando apertava as minhas mãos, transmitia--me energia e vontade de seguir em frente. As minhas mãos brancas e esguias no ventre das suas mãos fortes. Sopro de vida. Depois havia a voz, forte e insinuante, sensual e rouca, que me despertava desejos secretos e pensamentos obscenos. O poder que tinha sobre mim, mais ninguém o terá. Enfeitiçou-me sem apelo nem agravo. Quando se teve algo mágico com uma pessoa, quando se sentiu o que eu senti, ou se viveu o que eu vivi, nunca mais se volta a ser o mesmo. Hoje sou outra. Pago o preço elevado de ter experimenta-do algo de tão transcendente com outra pessoa, que não poderá pertencer ao mundo terreno. O que senti não é explicável, contável. Ninguém o entenderia. Falariam em *flirt* e em enfatuação sexual. Não perceberiam nada! Nas suas vidas, as coisas decorrem com tranquilidade, sem sobressaltos. Não compreenderiam! Teceriam sorrisos de complacência, mas teriam pena de mim. Não quero que tenham pena de mim. Se pudesse escolher, teria vivido tudo outra vez. Comecei a morrer jovem, depois de ter vivido intensamente. O que houve entre nós poderá ter sido provisório, pontual e efémero. Mas foi forte e inesquecível. Hoje vivo, alimentando-me de memórias vagas do passado. O odor dele há muito que desapareceu do meu corpo, o toque também. Mas existem as outras memórias, que representam bolsas de oxigénio, que sorvo com sofreguidão. Por uma questão de sobrevivência. Foi tudo demasiado bom. Como num filme ou num romance bem construído. Com todos os condimentos e nas doses certas, isto é, em excesso. Tenho pena de todos aqueles que nunca viveram um amor assim. Apesar de impossível. Quando morrer, levarei comigo as memórias deste grande e inconfessável amor. Não levarei nada do que conquistei ao longo desta vida. Nem as telas, nem os *kilims*, nem os objectos de prata. Não poderei levar objectos para o lugar onde vou. Mas levarei comigo, inscritos na minha alma, os contornos deste amor. Poucas mais coisas levarei na alma. O amor pelo Martim e o amor pelos meus pais. A amizade por algumas, poucas pessoas, como tu. Mais nada. Não levarei comigo os meus pequenos sucessos, nem os meus grandes fracassos. Os diplomas, esses, não os levarei certamente. Medalhas não tenho. Prémios também não. O que mais queres que te diga? Tenho quarenta anos de idade real, mas sinto ter pelo menos oitenta de idade psicológica. A vida das pessoas nos lares é em muito semelhante à minha própria vida. Acordam apenas para se lembrarem de que deveriam ter dormido mais um pouco. Comem alguma coisa e tomam os medicamentos. São cada vez mais e mais variados os medicamentos que tomo. Antidepressivos, fundamentalmente. O Manel receita-me listas longas e, quando os avio na farmácia, os empregados observam-me com gravidade, como se houvesse a possibilidade de irromper em pranto ou fúria a qualquer momento. Cada vez procuro mais o silêncio protector das igrejas, a distância das outras pessoas, a meditação. Faço ioga no meu jardim com vista sobre o mar. Fecho os olhos e deixo que os raios de luz me inundem e me dissolvam dentro deles. São estes os meus raros e preciosos momentos de bem--estar. Deixei de fazer compras. Nada me seduz no mundo dos objectos. Continuo a gostar de me sentir rodeada pelas minhas tralhas de sempre, mas por puro hábito. Não compro revistas. Lembras--te de como era uma ávida consumidora de revistas de decoração? Pois bem, deixei-me disso. Cada vez menos coisas me interessam. Ligo o televisor apenas para me sentir mais acompanhada. Não me interesso por nenhum programa em particular. Raramente me dou ao trabalho de colocar um CD na aparelhagem. Às vezes faço um esforço e ponho Bach. Sempre o mesmo CD. O mesmo que me deste num Natal. Não sei se te recordas dele... Está sempre colocado na gaveta da aparelhagem e é só premir o *on*. Nunca me esqueço de o fazer nas raras vezes em que o Martim insiste em vir para Tróia. Para tomar conta de mim. Se ele soubesse o sacrifício que é para mim tê-lo por cá. É difícil fingir que se está bem, quando ideias de suicídio atravessam a nossa mente de dia e de noite. Tenho de me manter serena, ir com ele até à beira-mar e fingir-me bem. Quando me apetece mergulhar na cama e ficar lá até ao dia seguinte, e depois no dia seguinte, ficar lá até ao outro dia, e assim por diante. O Manel diz que estou com uma enorme depressão. Os «psis» são terríveis! Não sei se estou assim, ou se sempre fui assim. Nunca fui uma criança lá muito feliz. Era inquieta e rebelde, eternamente insatisfeita com alguma coisa. A morte da minha mãe... morri um pouco nessa altura. É difícil a uma criança de doze anos vislumbrar vida sem a proximidade de uma mãe, sem a sua voz e sem os seus mimos. Nunca mais ninguém me amou como ela. Ela contava-me histórias de encantar e tudo parecia estar bem. Parecia haver harmonia e tranquilidade neste mundo caótico. E depois, havia as papas de linhaça. Ela fazia-me compressas de papas de linhaça e colocava-me as compressas em cima do peito com muito jeitinho, para eu não me queimar. Tinham de estar quentes, mas não tão quentes que me queimassem. Só a prática lhe deu a noção da temperatura ideal. Era uma sensação boa, a das compressas com papas de linhaça sobre o peito a esvair-se em asma. Ainda hoje guardo o cheiro das papas algures, em algum recanto recôndito da minha memória. A nossa memória é povoada de coisas tão simples como essa. Guardo muitas outras recordações boas dela e tenho muitas saudades dela. Sem ela, o mundo tornou-se um lugar inóspito e assustador. Pleno de perigos e armadilhas. Tive de aprender a sobreviver sem os seus ensinamentos sábios. O meu pai lá se foi desenvencilhando na ingrata tarefa de ser pai e mãe de uma pré-adolescente repleta de dúvidas e medos. Estão longe esses dias. Hoje deveria ser uma senhora grande sem medos nem dúvidas, uma profissional competente e uma mãe dedicada. E, no entanto, falhei em todos os meus papéis. O meu casamento foi um fracasso completo, não soube ser uma boa mãe para o Martim. Fui sempre distante e ausente, sempre embrenhada nos labirintos ignóbeis da minha vidinha profissional. Não soube estar presente, e o pai preencheu as minhas ausência, e, a pouco e pouco, foi conquistando terreno no seu coraçãozinho carente. Como amante de um homem casado, também fui um fracasso. Não só ele preferiu ficar com a mulher a ficar comigo, como, provavelmente, nunca me chegou a amar tanto quanto eu gostaria. Como amiga, não necessito de te explicar o fracasso que fui. Nunca soube regar as minhas amizades e agora corro à vassourada com as poucas pessoas que teimam em me querer para amiga.

Olha, agora estou cansada! Muito cansada. Acho que vou dormir. Espero que compreendas um pouco o que me vai na alma e que não me queiras mal. Ah! É verdade, queria dizer-te que o vou esquecer. Definitivamente. É essa a razão pela qual te escrevo.

Um beijo, Matilde»

XXXII

Março de 2003

Naquela tarde sem fim, Matilde a flutuar na sua casa de Tróia, com vista sobre o mar. Isa, junto a ela, na cadeira de baloiço, com um livro suspenso, no regaço. Matilde passou horas a caminhar com Martim ao longo da costa e a apanhar conchas e entretém-se agora a tomar o seu chá das cinco, enquanto o mar se estende em frente da sua mesa redonda, coberta por uma toalha bordada de malmequeres. Uma semente branca, com muitas perninhas, esvoaça em frente aos seus olhos, no preciso momento em que, ao sair do palacete de casa de Duarte, Vasco se interroga sobre o que estará ela a fazer e se ri por isso lhe ser perfeitamente indiferente. «Uma bruxinha», sibila Matilde para Isa. Riem como crianças pequenas e tentam apanhá-la, sem sucesso. Desde miúda que Matilde chama «bruxinhas» àquelas sementes misteriosas que surgem, de repente, no ar, a um palmo dos nossos olhos para, da mesma forma, partirem, docemente embaladas pelo ar, serpenteando sem norte. Matilde ri-se de si para si mesma, sem barulho. Abre um *petit carnet* de capa às riscas e escreve «uma bruxinha visitou-me». Martim aproxima-se da mãe e espreita, por cima do seu ombro, o caderno aberto.

— Uma bruxinha visitou-me! — lê alto, enfático, enquanto barra um *croissant* com geleia e começa a devorar um iogurte líquido.

Matilde espreguiça-se na cadeira e enlaça o filho:

— Não te conhecia o hábito de bisbilhotares as minhas coisas...

— Os teus segredos...

— Não tenho segredos!

Isa sorri, enquanto se baloiça na cadeira de verga. Martim solta uma gargalhada rouca.

— Essa tem piada! — Senta-se numa cadeira ao lado da mãe, enquanto lhe coloca um braço em redor dos seus ombros e engole segundo iogurte.

— Sabes que não tenho segredos para ti — ronrona Matilde para o filho. — Tu é que tens segredos para mim!

— Eu sou um livro aberto. Sabes tudo sobre mim!

— Ultimamente não me tens falado das tuas namoradas...

— Nada de novo.

Matilde e Isa trocam olhares cúmplices. Há um ano que Martim anda apaixonado por uma menina de nome Marisa, que lhe tira o sono, mas não o apetite.

— Ainda a Marisa? — insiste Matilde.

Martim escolhe os ombros.

— Para quê variar? Quando se conheceu o sol, não se encontra luz nas pequenas estrelas.

— O sol pode queimar, Martim! Não te esqueças! — afirma Matilde, em tom grave.

— Quem me dera, Mamã, quem me dera. — Martim engole segundo *croissant* e desaparece a correr, ao encontro de um amigo que lhe acena da praia.

Matilde olha para o céu, espreguiça-se e pensa de si para si que ainda tem tempo para recomeçar a viver. Isa interrompe-lhe os pensamentos.

— Queria contar-te uma coisa...

— Sim... o homem da *net*?

— Precisamente! Conheci-o. Finalmente! Uns meses atrás. Tenho andado desejosa de te contar... mas queria dar algum tempo e ver a evolução das coisas.

Matilde surpresa, de olhos arregalados.

— Sim...

— Ele quis que nos encontrássemos. E assim foi. Encontrámo-nos num restaurante na Praia da Morena, na Costa, em Dezembro passado e estamos perdidamente apaixonados. Chama-se Duarte. É antiquário.

Os olhos de Isa, brilhantes. Matilde, solidária na sua felicidade. Abraçam-se.

— Queria que o conhecesses. Na verdade, disse-lhe para passar por cá... se não te importares...

Matilde surpresa.

— Dentro de quanto tempo?

— Deve estar mesmo a chegar...

Como que em resposta às suas palavras, escuta-se a buzina de um carro. Isa e Matilde olham-se e contornam a casa em busca do carro. Duarte à sua espera. Sorridente e belo. Isa e Duarte abraçam-se. Isa apresenta Duarte a Matilde. Contornam de novo a casa, em sentido inverso ao anterior, e regressam ao local em que estavam. Matilde com a estranha sensação de conhecer Duarte, mas sem saber de onde. Enquanto lhe serve um chá, recorda-se.

— Já o conheço...

— Tenho precisamente a mesma sensação... mas não me consigo recordar...

— Você é amigo do Vasco...Vasco, o meu ex-marido...

Duarte concentrado.

— Mas você é a Matilde! — dispara, surpreendido.

Matilde sorri. Duarte e Isa fascinados com a pequenez do Mundo.

— Na verdade nunca nos chegámos a falar, mas vi-o uma ou duas vezes com o Vasco — avança Matilde.

Duarte acena com a cabeça. Mundo pequeno, este.

— A semana passada aconteceu-me algo de semelhante e de extraordinário. Quando ía a sair do consultório da minha terapeuta, da Lurdes, cruzei-me com um homem, que sabia conhecer, mas que não me recordava de onde. Com ele aconteceu precisamente o mesmo. Só depois de ele entrar no gabinete da Lurdes, é que me apercebi que era o Eduardo, uma antiga paixão de faculdade. Achei estranho que um psicólogo fizesse terapia e fiquei queda no sofá do *hall*, onde, para aumentar as minhas dúvidas, estava ainda à espera de entrar a cliente que se me costuma seguir. Passados cinco minutos, o Eduardo saiu do gabinete, e a Lurdes mandou entrar a cliente e fechou a porta. Ficámos os dois sozinhos na sala de espera. Um frente ao outro. Ele reconheceu-me. Ruborizou. Trocámos um beijo leve e ele explicou-me que tinha casado com a Lurdes, a sua namorada de sempre, a tal colega psicóloga com que já andava embeiçado no tempo da faculdade. Às vezes pensava o que sentiria se algum dia me viesse a cruzar com o Eduardo. Na verdade, não senti nada de nada. Se bem que foi estranho saber que a minha terapeuta era casada com um homem por quem eu alimentara uma paixão devastadora.

Duarte e Isa suspensos nas suas palavras.

— Que história fantástica! — comenta Duarte.

— É curioso que eu sempre imaginara a namorada do Eduardo como uma mulher avassaladora. E a Lurdes é o cúmulo da simplicidade. Por vezes, criamos expectativas completamente erróneas acerca das pessoas. É curioso!

202

— Espero que essa inesperada revelação não afecte o decorrer da tua terapia... — observa Isa.

— Já afectou! O meu processo terapêutico com a Lurdes chegou ao fim. Não poderia continuar, depois de saber o que soube.

Silêncio partilhado.

— Se sentir que precisa, arranja outra terapeuta, não é? — sugere Duarte.

— Talvez nem vá ser necessário. Estou a tratar de exorcizar os fantasmas do passado. Um a um. — Dirige a Isa um sorriso cúmplice.

Partem os três rumo a um passeio à beira-mar.

— Sabe, Duarte, conto-lhe tudo isto porque tenho a sensação de o conhecer há muitos anos. A Isa tem-me falado muito de si...

Duarte sorri. Como ele sente o mesmo! Sente conhecer Matilde como a palma das suas mãos. Com base nos intensos e apaixonados relatos de Vasco.

XXXIII

Depois de Março de 2003

Dizem os mais velhos que o tempo tudo cura. Um dia chega em que Vasco compreende que persistir na expectativa de uma reconciliação com a sua ex-mulher é algo inscrito no domínio da fantasia. Bastou uma frase avulsa de Martim para lhe corrigir as expectativas: «Finalmente, a mamã decidiu esquecer o Vladimir.» Vasco escutou a surpreendente revelação do filho num final de tarde, sentado a uma mesa de um restaurante da Lapa. Permaneceu em silêncio, a digerir o significado de cada palavra. Fez-se luz no seu espírito. Percebeu que, por tempo de mais, tinha andado enrolado em mil e uma fantasias sem consequências. Sentiu caírem sobre a sua cabeça, uma por uma, todas as traves do teatro de vícios que a sua mente construíra.

Estava-se então em Dezembro. Em Janeiro, num congresso da indústria farmacêutica, que teve lugar na Suécia, conheceu uma jovem farmacêutica espanhola, de vinte e seis anos, por quem se perdeu de amores. Compreendeu, então, que só nos podemos apaixonar quando temos o coração livre, quando conseguimos varrer as ruínas do passado que, por vezes, lá deixamos ficar por tempo de mais. Concha acedeu em vir morar para Lisboa, e os dois vivem um intenso estado de paixão. Matilde mais não é do que uma doce recordação do passado.

Duarte vende o palacete do Príncipe Real e a casa de antiguidades e vai viver com Isa para um monte alentejano. Aprendem a dois a aspirar o cheiro da chuva na terra molhada, a mergulhar na espessura dos silêncios e a escutar o murmúrio das aragens dos fins de tarde alentejanos.

Salvador e Doroteia reconhecem que, por detrás de todas as agressões com que foram povoando os dias, sentem algo de muito forte um pelo outro, algo que sempre esteve adormecido no âmago dos seus seres e que nunca tiveram a ousadia de reconhecer. Uma espécie de ternura morna, de desejo de partilhar os últimos anos de vida, o iniciar de uma nova era: uma era de tréguas.

Manuel decide não mais viver a vida de uma pedra. Parte rumo ao Tibete, desta vez, de facto rumo ao Tibete em busca de si e do mundo. Antes de partir, escreve uma carta a Matilde. A explicar-lhe tudo o que ela teima em não entender. Escreve-lhe apesar de, entre os dois, as palavras terem sido sempre complicadas. E Matilde entende o significado das suas palavras escritas. Na realidade, sempre tinha entendido as palavras dele que tinham ficado por ser ditas. E sempre tinha sabido que, por mais que quisesse, não poderia amar Manuel. Amá-lo de verdade. Para ela, ele seria sempre uma espécie de irmão mais velho ou de anjo da guarda. Porque não se escolhe quem se ama.

Matilde esquece Valdimir. A pouco e pouco, a ferida aberta sara. Uma das vantagens do esquecimento é conseguirmos esquecer aquilo que não nos apetece recordar. Mais vale não sermos de todo amados a sê-lo pouco e/ou mal. As pessoas não nos podem dar tudo o que queremos delas, o que esperamos que nos dêem. No âmago de si espera, secretamente, que um dia surja na sua vida um homem com quem, finalmente, consiga ser feliz. Sem se esquecer de, enquanto esse dia não chega, viver em pleno cada novo dia da sua nova vida. Sem fantasmas. *Carpe Diem!* À noite, pede a um deus sem face que procure o seu amor pelos confins dos céus, que lhe peça que desça pela aragem morna da noite até ao silêncio do seu coração.

Talvez seja esse o sentido de toda a existência: uma coisa feita de luz e superior a todas as pequenas circunstâncias do coração.

GRANDES NARRATIVAS

1. O Mundo de Sofia,
JOSTEIN GAARDER
2. Os Filhos do Graal,
PETER BERLING
3. Outrora Agora,
AUGUSTO ABELAIRA
4. O Riso de Deus,
ANTÓNIO ALÇADA BAPTISTA
5. O Xangô de Baker Street,
JÔ SOARES
6. Crónica Esquecida d'El Rei
D. João II,
SEOMARA DA VEIGA
FERREIRA
7. Prisão Maior,
GUILHERME PEREIRA
8. Vai Aonde Te Leva o Coração,
SUSANNA TAMARO
9. O Mistério do Jogo das Paciências,
JOSTEIN GAARDER
10. Os Nós e os Laços,
ANTÓNIO ALÇADA
BAPTISTA
11. Não É o Fim do Mundo,
ANA NOBRE DE GUSMÃO
12. O Perfume,
PATRICK SÜSKIND
13. Um Amor Feliz,
DAVID MOURÃO-FERREIRA
14. A Desordem do Teu Nome,
JUAN JOSÉ MILLÁS
15. Com a Cabeça nas Nuvens,
SUSANNA TAMARO
16. Os Cem Sentidos Secretos,
AMY TAN
17. A História Interminável,
MICHAEL ENDE
18. A Pele do Tambor,
ARTURO PÉREZ-REVERTE
19. Concerto no Fim da Viagem,
ERIK FOSNES HANSEN
20. Persuasão,
JANE AUSTEN
21. Neandertal,
JOHN DARNTON
22. Cidadela,
ANTOINE DE SAINT-
EXUPÉRY
23. Gaivotas em Terra,
DAVID MOURÃO-FERREIRA
24. A Voz de Lila,
CHIMO
25. A Alma do Mundo,
SUSANNA TAMARO
26. Higiene do Assassino,
AMÉLIE NOTHOMB
27. Enseada Amena,
AUGUSTO ABELAIRA
28. Mr. Vertigo,
PAUL AUSTER
29. A República dos Sonhos,
NÉLIDA PIÑON
30. Os Pioneiros,
LUÍSA BELTRÃO
31. O Enigma e o Espelho,
JOSTEIN GAARDER
32. Benjamim,
CHICO BUARQUE

33. Os Impetuosos,
LUÍSA BELTRÃO
34. Os Bem-Aventurados,
LUÍSA BELTRÃO
35. Os Mal-Amados,
LUÍSA BELTRÃO
36. Território Comanche,
ARTURO PÉREZ-REVERTE
37. O Grande Gatsby,
F. SCOTT FITZGERALD
38. A Música do Acaso,
PAUL AUSTER
39. Para Uma Voz Só,
SUSANNA TAMARO
40. A Homenagem a Vénus,
AMADEU LOPES SABINO
41. Malena É Um Nome de Tango,
ALMUDENA GRANDES
42. As Cinzas de Angela,
FRANK McCOURT
43. O Sangue dos Reis,
PETER BERLING
44. Peças em Fuga,
ANNE MICHAELS
45. Crónicas de Um Portuense
Arrependido,
ALBANO ESTRELA
46. Leviathan,
PAUL AUSTER
47. A Filha do Canibal,
ROSA MONTERO
48. A Pesca à Linha – Algumas
Memórias,
ANTÓNIO ALÇADA
BAPTISTA
49. O Fogo Interior,
CARLOS CASTANEDA
50. Pedro e Paula,
HELDER MACEDO
51. Dia da Independência,
RICHARD FORD
52. A Memória das Pedras,
CAROL SHIELDS
53. Querida Mathilda,
SUSANNA TAMARO
54. Palácio da Lua,
PAUL AUSTER
55. A Tragédia do Titanic,
WALTER LORD
56. A Carta de Amor,
CATHLEEN SCHINE
57. Profundo como o Mar,
JACQUELYN MITCHARD
58. O Diário de Bridget Jones,
HELEN FIELDING
59. As Filhas de Hanna,
MARIANNE FREDRIKSSON
60. Leonor Teles ou o Canto da
Salamandra,
SEOMARA DA VEIGA
FERREIRA
61. Uma Longa História,
GÜNTER GRASS
62. Educação para a Tristeza,
LUÍSA COSTA GOMES
63. Histórias do Paranormal
– I Volume,
Direcção de RIC ALEXANDER

64. Sete Mulheres,
ALMUDENA GRANDES
65. O Anatomista,
FEDERICO ANDAHAZI
66. A Vida É Breve,
JOSTEIN GAARDER
67. Memórias de Uma Gueixa,
ARTHUR GOLDEN
68. As Contadoras de Histórias,
FERNANDA BOTELHO
69. O Diário da Nossa Paixão,
NICHOLAS SPARKS
70. Histórias do Paranormal
– II Volume,
Direcção de RIC ALEXANDER
71. Peregrinação Interior – I Volume,
ANTÓNIO ALÇADA
BAPTISTA
72. O Jogo de Morte,
PAOLO MAURENSIG
73. Amantes e Inimigos,
ROSA MONTERO
74. As Palavras Que Nunca Te Direi,
NICHOLAS SPARKS
75. Alexandre, O Grande
– O Filho do Sonho,
VALERIO MASSIMO
MANFREDI
76. Peregrinação Interior – II Volume
ANTÓNIO ALÇADA
BAPTISTA
77. Este É o Teu Reino,
ABILIO ESTÉVEZ
78. O Homem Que Matou Getúlio
Vargas,
JÔ SOARES
79. As Piedosas,
FEDERICO ANDAHAZI
80. A Evolução de Jane,
CATHLEEN SCHINE
81. Alexandre, O Grande – O Segredo
do Oráculo,
VALERIO MASSIMO
MANFREDI
82. Um Mês com Montalbano,
ANDREA CAMILLERI
83. O Tecido do Outono,
ANTÓNIO ALÇADA
BAPTISTA
84. O Violinista,
PAOLO MAURENSIG
85. As Visões de Simão,
MARIANNE FREDRIKSSON
86. As Desventuras de Margaret,
CATHLEEN SCHINE
87. Terra de Lobos,
NICHOLAS EVANS
88. Manual de Caça e Pesca para
Raparigas,
MELISSA BANK
89. Alexandre, o Grande
– No Fim do Mundo,
VALERIO MASSIMO
MANFREDI
90. Atlas de Geografia Humana,
ALMUDENA GRANDES
91. Um Momento Inesquecível,
NICHOLAS SPARKS

92. O Último Dia,
GLENN KLEIER
93. O Círculo Mágico,
KATHERINE NEVILLE
94. Receitas de Amor para Mulheres Tristes,
HÉCTOR ABAD FACIOLINCE
95. Todos Vulneráveis,
LUÍSA BELTRÃO
96. A Concessão do Telefone,
ANDREA CAMILLERI
97. Doce Companhia,
LAURA RESTREPO
98. A Namorada dos Meus Sonhos,
MIKE GAYLE
99. A Mais Amada,
JACQUELYN MITCHARD
100. Ricos, Famosos e Beneméritos,
HELEN FIELDING
101. As Bailarinas Mortas,
ANTONIO SOLER
102. Paixões,
ROSA MONTERO
103. As Casas da Celeste,
THERESA SCHEDEL
104. A Cidadela Branca,
ORHAN PAMUK
105. Esta É a Minha Terra,
FRANK McCOURT
106. Simplesmente Divina,
WENDY HOLDEN
107. Uma Proposta de Casamento,
MIKE GAYLE
108. O Novo Diário de Bridget Jones,
HELEN FIELDING
109. Crazy – A História de Um Jovem,
BENJAMIN LEBERT
110. Finalmente Juntos,
JOSIE LLOYD e EMLYN REES
111. Os Pássaros da Morte,
MO HAYDER
112. A Papisa Joana,
DONNA WOOLFOLK CROSS
113. O Aloendro Branco,
JANET FITCH
114. O Terceiro Servo,
JOEL NETO
115. O Tempo nas Palavras,
ANTÓNIO ALÇADA BAPTISTA
116. Vícios e Virtudes,
HELDER MACEDO
117. Uma História de Família,
SOFIA MARRECAS FERREIRA
118. Almas à Deriva,
RICHARD MASON
119. Corações em Silêncio,
NICHOLAS SPARKS
120. O Casamento de Amanda,
JENNY COLGAN
121. Enquanto Estiveres Aí,
MARC LEVY
122. Um Olhar Mil Abismos,
MARIA TERESA LOUREIRO
123. A Marca do Anjo,
NANCY HUSTON
124. O Quarto do Pólen,
ZOË JENNY

125. Responde-me,
SUSANNA TAMARO
126. O Convidado de Alberta,
BIRGIT VANDERBEKE
127. A Outra Metade da Laranja,
JOANA MIRANDA
128. Uma Viagem Espiritual,
BILLY MILLS e NICHOLAS SPARKS
129. Fragmentos de Amor Furtivo,
HÉCTOR ABAD FACIOLINCE
130. Os Homens São como Chocolate,
TINA GRUBE
131. Para Ti, Uma Vida Nova,
TIAGO REBELO
132. Manuela,
PHILIPPE LABRO
133. A Ilha Décima,
MARIA LUÍSA SOARES
134. Maya,
JOSTEIN GAARDER
135. Amor É Uma Palavra de Quatro Letras,
CLAIRE CALMAN
136. Em Memória de Mary,
JULIE PARSONS
137. Lua-de-Mel,
AMY JENKINS
138. Novamente Juntos,
JOSIE LLOYD e EMLYN REES
139. Ao Virar dos Trinta,
MIKE GAYLE
140. O Marido Infiel,
BRIAN GALLAGHER
141. O Que Significa Amar,
DAVID BADDIEL
142. A Casa da Loucura,
PATRICK McGRATH
143. Quatro Amigos,
DAVID TRUEBA
144. Estou-me nas Tintas para os Homens Bonitos,
TINA GRUBE
145. Eu até Sei Voar,
PAOLA MASTROCOLA
146. O Homem Que Sabia Contar,
MALBA TAHAN
147. A Época da Caça,
ANDREA CAMILLERI
148. Não Vou Chorar o Passado,
TIAGO REBELO
149. Vida Amorosa de Uma Mulher,
ZERUYA SHALEV
150. Danny Boy,
JO-ANN GOODWIN
151. Uma Promessa para Toda a Vida,
NICHOLAS SPARKS
152. O Romance de Nostradamus – O Presságio,
VALERIO EVANGELISTI
153. Cenas da Vida de Um Pai Solteiro,
TONY PARSONS
154. Aquele Momento,
ANDREA DE CARLO
155. Renascimento Privado,
MARIA BELLONCI
156. A Morte de Uma Senhora,
THERESA SCHEDEL

157. O Leopardo ao Sol,
LAURA RESTREPO
158. Os Rapazes da Minha Vida,
BEVERLY DONOFRIO
159. O Romance de Nostradamus – O Engano,
VALERIO EVANGELISTI
160. Uma Mulher Desobediente,
JANE HAMILTON
161. Duas Mulheres, Um Destino,
MARIANNE FREDRIKSSON
162. Sem Lágrimas Nem Risos,
JOANA MIRANDA
163. Uma Promessa de Amor,
TIAGO REBELO
164. O Jovem da Porta ao Lado,
JOSIE LLOYD & EMLYN REES
165. € 14,99 – A Outra Face da Moeda,
FRÉDÉRIC BEIGBEDER
166. Precisa-se de Homem Nu,
TINA GRUBE
167. O Príncipe Siddharta – Fuga do Palácio,
PATRICIA CHENDI
168. O Romance de Nostradamus – O Abismo,
VALERIO EVANGELISTI
169. O Citroën Que Escrevia Novelas Mexicanas,
JOEL NETO
170. António Vieira – O Fogo e a Rosa,
SEOMARA DA VEIGA FERREIRA
171. Jantar a Dois,
MIKE GAYLE
172. Um Bom Partido – I Volume,
VIKRAM SETH
173. Um Encontro Inesperado,
RAMIRO MARQUES
174. Não Me Esquecerei de Ti,
TONY PARSONS
175. O Príncipe Siddharta – As Quatro Verdades,
PATRICIA CHENDI
176. O Claustro do Silêncio,
LUÍS ROSA
177. Um Bom Partido – II Volume,
VIKRAM SETH
178. As Confissões de Uma Adolescente,
CAMILLA GIBB
179. Bons na Cama,
JENNIFER WEINER
180. Spider,
PATRICK McGRATH
181. O Príncipe Siddharta – O Sorriso do Buda,
PATRICIA CHENDI
182. O Palácio das Lágrimas,
ALEV LYTLE CROUTIER
183. Apenas Amigos,
ROBYN SISMAN
184. O Fogo e o Vento,
SUSANNA TAMARO
185. Henry & June,
ANAÏS NIN
186. Um Bom Partido – III Volume,
VIKRAM SETH

187. Um Olhar à Nossa Volta,
ANTÓNIO ALÇADA BAPTISTA
188. O Sorriso das Estrelas,
NICHOLAS SPARKS
189. O Espelho da Lua,
JOANA MIRANDA
190. Quatro Amigas e Um Par de Calças,
ANN BRASHARES
191. O Pianista,
WLADYSLAW SZPILMAN
192. A Rosa de Alexandria,
MARIA LUCÍLIA MELEIRO
193. Um Pai muito Especial,
JACQUELYN MITCHARD
194. A Filha do Curandeiro,
AMY TAN
195. Começar de Novo,
ANDREW MARK
196. A Casa das Velas,
K. C. McKINNON
197. Últimas Notícias do Paraíso,
CLARA SÁNCHEZ
198. O Coração do Tártaro,
ROSA MONTERO
199. Um País para Lá do Azul do Céu,
SUSANNA TAMARO
200. As Ligações Culinárias,
ANDREAS STAÏKOS
201. De Mãos Dadas com a Perfeição,
SOFIA BRAGANÇA BUCHHOLZ
202. O Vendedor de Histórias,
JOSTEIN GAARDER
203. Diário de Uma Mãe,
JAMES PATTERSON
204. Nação Prozac,
ELIZABETH WURTZEL
205. Uma Questão de Confiança,
TIAGO REBELO
206. Sem Destino,
IMRE KERTÉSZ
207. Laços Que Perduram,
NICHOLAS SPARKS
208. Um Verão Inesperado,
KITTY ALDRIDGE
209. D'Acordo,
MARIA JOÃO LEHNING
210. Um Casamento Feliz,
ANDREW KLAVAN
211. A Viagem da Minha Vida
– Pela Índia de Mochila às Costas,
WILLIAM SUTCLIFFE
212. Gritos da Minha Dança,
FERNANDA BOTELHO
213. O Último Homem Disponível,
CINDY BLAKE
214. Solteira, Independente
e Bem Acompanhada,
LUCIANA LITTIZZETTO
215. O Estranho Caso do Cão Morto,
MARK HADDON
216. O Segundo Verão das Quatro Amigas
e Um Par de Calças,
ANN BRASHARES

217. Não Sei como É Que Ela Consegue,
ALLISON PEARSON
218. Marido e Mulher,
TONY PARSONS
219. Inês de Castro,
MARÍA PILAR QUERALT HIERRO
220. Não Me Olhes nos Olhos,
TINA GRUBE
221. O Mosteiro e a Coroa,
THERESA SCHEDEL
222. A Rapariga das Laranjas,
JOSTEIN GAARDER
223. A Recusa,
IMRE KERTÉSZ
224. A Alquimia do Amor,
NICHOLAS SPARKS
225. A Cor dos Dias – Memórias e Peregrinações,
ANTÓNIO ALÇADA BAPTISTA
226. A Esperança Reencontrada,
ANDREW MARK
227. Eu e as Mulheres da Minha Vida,
JOÃO TOMÁS BELO
228. O Golpe Milionário,
BRAD MELTZER
229. A Noiva Prometida,
BAPSI SIDHWA
230. Jack, o Estripador – Retrato
de Um Assassino
PATRICIA CORNWELL
231. O Livreiro de Cabul,
ÅSNE SEIERSTAD
232. Ali e Nino – Uma História de Amor,
KURBAN SAID
233. A Rapariga de Pequim,
CHUN SHU
234. Não Se Escolhe Quem Se Ama,
JOANA MIRANDA
235. Às Duas por Três,
CECÍLIA CALADO
236. Mulheres, Namorados, Maridos e Sogras,
LUCIANA LITTIZZETTO
237. Estranho Encontro,
BENJAMIN LEBERT
238. Pai ao Domingo,
CLAIRE CALMAN
239. Perdas e Ganhos,
LYA LUFT
240. Sete Casas,
ALEV LYTLE CROUTIER
241. A Noiva Obscura,
LAURA RESTREPO
242. Santo Desejo,
PEDRO ALÇADA BAPTISTA
243. Uma Mãe quase Perfeita,
PAOLA MASTROCOLA
244. Romance em Amesterdão,
TIAGO REBELO
245. Nem Só Mas Também,
AUGUSTO ABELAIRA
246. Ao Sabor do Vento,
RAMIRO MARQUES
247. A Agência n.º 1 de Mulheres Detectives,
ALEXANDER McCALL SMITH

248. Os Homens em Geral
Agradam-me Muito,
VÉRONIQUE OVALDÉ
249. Os Jardins da Memória,
ORHAN PAMUK
250. Três Semanas com o Meu Irmão,
NICHOLAS SPARKS
e MICAH SPARKS
251. Nunca É Tarde para Recomeçar,
CATHERINE DUNNE
252. A Cidade das Flores,
AUGUSTO ABELAIRA
253. Kaddish para Uma Criança
Que Não Vai Nascer,
IMRE KERTÉSZ
254. 101 Dias em Bagdad,
ÅSNE SEIERSTAD
255. Uma Família Diferente,
THERESA SCHEDEL
256. Depois de Tu Partires,
MAGGIE O'FARRELL
257. Homem em Fúria,
A. J. QUINNELL
258. Uma Segunda Oportunidade,
KRISTIN HANNAH
259. A Regra de Quatro,
IAN CALDWELL e DUSTIN
THOMASON
260. As Lágrimas da Girafa,
ALEXANDER McCALL SMITH
261. Lucia, Lucia,
ADRIANA TRIGIANI
262. A Mulher do Viajante no Tempo,
AUDREY NIFFENEGGER
263. Abre o Teu Coração,
JAMES PATTERSON
264. Um Natal Que não Esquecemos,
JACQUELYN MITCHARD
265. Imprimatur – O Segredo do Papa,
FRANCESCO SORTI
e RITA MONALDI
266. A Vida em Stereo,
PEDRO DE FREITAS BRANCO
267. O Terramoto de Lisboa
e a Invenção do Mundo,
LUIS ROSA
268. Filhas Rebeldes,
MANJU KAPUR
269. Bolor,
AUGUSTO ABELAIRA
270. A Profecia da Curandeira,
HERMÁN HUARACHE MAMANI
271. O Códice Secreto,
LEV GROSSMAN
272. Olhando o Nosso Céu,
MARIA LUÍSA SOARES
273. Moralidade e Raparigas Bonitas,
ALEXANDER McCALL SMITH